O Pistoleiro

SUMA de letras

A Torre Negra *vol* • I

Stephen King

O Pistoleiro

Tradução de Mário Molina

SUMA de letras

Agradecimentos especiais pela permissão para reprodução de um trecho de "Look Homeward, Angel", de Thomas Wolfe. Copyright © 1929, Charles Scribner's Sons; Copyright renovado ©1957, Edward C. Ashwell, Administrator, C.T.A. e/ou Fred W. Wolfe. Reproduzido mediante permissão da Scribner, um selo da Simon & Schuster Adult Publishing Group.

Título original
THE GUNSLINGER

EDITORA OBJETIVA LTDA. Rua Cosme Velho, 103
Rio de Janeiro – RJ – CEP: 22241-090
Tel.: (21) 2199-7824 – Fax: (21) 2199-7825
www.objetiva.com.br

Capa
Pós Imagem Design

Revisão
Marcelo Magalhães
Renato Bittencourt
Rita Godoy

Editoração Eletrônica
Abreu's System Ltda.

PRISA EDIÇÕES

CIP-BRASIL. CATALOGAÇÃO-NA-FONTE
SINDICATO NACIONAL DOS EDITORES DE LIVROS, RJ

K64t

King, Stephen
O pistoleiro / Stephen King, tradução de Mário Molina. – Rio de Janeiro: Objetiva, 2004.

221p. (A torre negra, v.1) ISBN 978-85-8105-021-8
Tradução de: *The gunslinger*

1. Ficção fantástica americana. I. Molina, Mário. II. Título. III. Série.

11-6838 CDD: 813
CDU: 821.134.3(81)-3

Para ED FERMAN,
Que apostou nestas histórias, uma por uma

Sumário

INTRODUÇÃO 9
PREFÁCIO 17

1. O PISTOLEIRO 27

2. O POSTO DE PARADA 87

3. O ORÁCULO E AS MONTANHAS 129

4. OS VAGOS MUTANTES 157

5. O PISTOLEIRO E O HOMEM DE PRETO 202

INTRODUÇÃO

Sobre Ter 19 Anos
(e algumas outras coisas)

1

Os *hobbits* eram grandes quando eu tinha 19 anos (um número de alguma importância nas histórias que você vai ler).

Havia provavelmente meia dúzia de Merrys e Pippins marchando pelo barro da fazenda de Max Yasgur durante o Grande Festival de Música de Woodstock, o dobro disso em número de Frodos, e Gandalfs *hippies* sem conta. *O Senhor dos Anéis*, de J. R. R. Tolkien, era tremendamente popular naquele tempo e, embora eu nunca tenha passado por Woodstock (certo, é uma pena), acho que fui no mínimo um meio-*hippie*. O suficiente, sem dúvida, para ter lido a coleção e me apaixonar por ela. Os livros da *Torre Negra*, como a maioria dos romances fantásticos escritos pelos homens e mulheres da minha geração (*As Crônicas de Thomas Covenant*, de Stephen Donaldson, e *A Espada de Shannara*, de Terry Brooks, são apenas dois dentre muitos), tiveram suas raízes nos de Tolkien.

Mas, embora eu tenha lido a coleção em 1966 e 1967, demorei a escrever. Reagi (e com um fervor algo tocante) ao ímpeto da imaginação de Tolkien — à ambição de sua história —, mas queria escrever uma história ao meu jeito e, se tivesse começado naquela época, teria escrito no dele. Isso, como a falecida Velha Raposa Nixon gostava de dizer, não seria direito. Graças ao senhor Tolkien, o século XX teve todos os duendes e magos de que precisava.

Em 1967, eu não fazia a menor idéia do tipo de história que poderia escrever, mas não importava; confiava que ia reconhecê-la quando ela cruzasse comigo na rua. Tinha 19 anos e arrogância. Sem dúvida arrogância suficiente para achar que podia cozinhar um pouco minha inspiração e minha obra-prima (como tinha certeza que haveria de ser). Acredito que aos 19 a pessoa tem o direito de ser arrogante; geralmente o tempo ainda não começou suas furtivas e infames subtrações. Ele nos leva os cabelos e o poder de explosão, como diz uma conhecida canção *country*, mas no fundo leva muito mais. Eu não sabia disso em 1966 e 1967, e, se soubesse, não teria me importado. Podia imaginar — vagamente — ter 40 anos, mas 50? Não. *Sessenta?* Nunca! Sessenta estava fora de cogitação. E aos 19 é assim que deve ser. Dezenove é a idade em que você diz: *Cuidado, mundo, estou fumando TNT e bebendo dinamite, por isso, se você sabe o que é bom pra você, saia do meu caminho... aí vai o Stevie.*

Os 19 são uma idade egoísta, que restringe severamente as preocupações da pessoa. Eu tinha muita coisa na minha frente e era o que me importava. Tinha muita ambição e era o que me importava. Tinha uma máquina de escrever que carregava de uma porra de apartamento pra outra, sempre com alguma coisa para fumar no bolso e um sorriso na cara. Os compromissos da meia-idade estavam longe, os ultrajes da idade avançada, além do horizonte. Como o protagonista daquela música de Bob Seger, que agora eles usam para vender caminhões, eu me sentia infinitamente poderoso e infinitamente otimista; meu bolso estava vazio, mas a cabeça estava cheia de coisas que eu queria dizer e o coração cheio das histórias que queria contar. Parece sentimentalóide agora; soava maravilhoso então. Soava muito tranqüilo. Mais que tudo, eu queria penetrar nas defesas dos meus leitores, queria rompê-las, capturá-las e trocá-las, para o resto da vida, por nada mais que histórias. E sentia que podia fazer essas coisas. Sentia que tinha sido *feito* para fazer essas coisas.

Até que ponto isto parece pretensioso? Muito ou pouco? De um modo ou de outro, não peço desculpas. Eu tinha 19 anos. Não havia um único fio grisalho na minha barba. Eu tinha três calças *jeans*, um par de botas, a idéia de que o mundo era minha ostra, e nada do que aconteceu nos 20 anos seguintes provou que eu estava errado. Então, por volta dos 39 anos, os problemas começaram: bebida, drogas, um acidente de carro que mudou meu modo de andar (entre outras coisas). Já escrevi longamente sobre o assunto e não preciso voltar a ele aqui. Além disso, para você tanto faz, certo? O mundo acaba sempre lhe enviando a bosta de um Patrulheiro para retardar seu avanço e mostrar quem está no comando. Você que está lendo isto sem a menor dúvida já encontrou (ou vai encontrar) o seu; eu encontrei o meu e tenho certeza de que ele voltará. Ele tem o meu endereço. É um cara mesquinho, um Mau Elemento, o inimigo jurado da piração, da putaria, do orgulho, da ambição, da música alta e de todas as coisas dos 19 anos.

Mas ainda acho que essa é uma idade muito boa. Talvez a melhor idade. Você pode rolar no *rock* a noite toda, mas, quando a música cessa e a cerveja chega no fim, você consegue pensar. E sonhar sonhos grandes. O Patrulheiro mesquinho acaba mais cedo ou mais tarde podando você e, se você já começou pequeno, pois é, quando ele acaba, não sobra quase nada além da bainha do seu corpo. *Arranje outro!*, ele grita e sai marchando com o bloquinho de multa na mão. Por isso um pouco de arrogância (ou mesmo um monte) não é tão ruim, mesmo que sua mãe, é claro, tenha dito outra coisa. A minha disse. *O orgulho vai embora depois da queda, Stephen,* disse ela... e eu constatei — bem na idade certa, isto é, 19 x 2 — que você acaba mesmo caindo. Ou que é empurrado para a vala. Aos 19, podem mandar você parar no acostamento, sair da porra do carro, levar sua dolorida queixa (e sua bunda ainda mais dolorida) para o meio da estrada, mas não podem apreendê-lo quando você senta para pintar um quadro, escrever um poema ou contar uma história, pelo amor de Deus, e se por acaso você, que está lendo isto, é ainda muito novo, não deixe os mais velhos e supostamente mais vividos lhe dizerem nada diferente. Certo, você nunca esteve em Paris. Não, você nunca correu com os touros em Pamplona. Claro, você é um moleque que três anos atrás ainda não tinha cabelo debaixo do braço... mas e daí? Se você não começa grande demais para sua calça, como vai caber dentro dela quando crescer? Deixe que ela rasgue, não importa o que os outros digam, esse é o meu ponto de vista; sente-se e *fume* a calça.

2

Acho que os escritores aparecem em duas categorias, e isso inclui o tipo de escritor frangote que eu era em 1970. Aqueles destinados ao lado mais literário ou "sério" do trabalho examinam cada possível tema à luz desta pergunta: *O que escrever este tipo de história significaria para mim?* Aqueles cujo destino (ou *ka*, se você preferir) inclui a elaboração de livros populares estão aptos a fazer uma pergunta bem diferente: *O que escrever este tipo de história significaria para os outros?* O escritor "sério" está procurando respostas e chaves para o eu; o escritor "popular" está procurando um público. Ambos os tipos são igualmente egoístas. Conheci um bom número deles, e deixo aqui meu testemunho e garantia a esse respeito.

Seja como for, acredito que, mesmo aos 19 anos, reconheci a história de Frodo e seus esforços para livrar-se do Único Grande Anel como pertencente ao segundo grupo. Eram as aventuras de um bando de peregrinos essencialmente britânicos contra o pano de fundo de uma mitologia vagamente nórdica. Gostei da idéia da busca — na realidade *adorei* —, mas não tinha interesse nem nos vigorosos personagens camponeses de Tolkien (o que não significa dizer que não tenha gostado deles, pois gostei) nem em seus frondosos cenários escandinavos. Se eu tentasse ir naquela direção, teria me dado muito mal.

Então esperei. Em 1970, tinha 22 anos, os primeiros fios grisalhos haviam aparecido na minha barba (acho que fumar dois maços e meio de Pall Mall por dia provavelmente teve algo a ver com isso), mas mesmo aos 22, podemos nos dar ao luxo de esperar. Aos 22, o tempo ainda está do nosso lado, embora aquele velho e mau Patrulheiro já ande pela vizinhança fazendo perguntas.

Então, num cinema quase completamente vazio (o Bijou, em Bangor, no Maine, se é que isso importa), vi um filme dirigido por Sérgio Leone. Chamava-se *Três Homens em Conflito,* e, antes mesmo da metade da fita, percebi que o que eu queria escrever era uma história com o senso de busca e a magia de Tolkien, mas ambientada no quase absurdamente majestoso cenário de faroeste de Leone. Se você só viu este faroeste-piloto na tela da televisão, não vai entender o que estou falando... queira me perdoar, mas é a verdade. Numa tela de cinema, projetado com as lentes

Panavision certas, *Três Homens em Conflito* é um épico que rivaliza com *Ben-Hur*. Clint Eastwood parece ter uns cinco metros de altura, com cada espeto de barba brotando no rosto mais ou menos do tamanho de uma pequena sequóia. Os sulcos rodeando a boca de Lee Van Cleef são fundos como desfiladeiros e quem sabe não há um filete d'água (ver *Mago e Vidro*) no fundo de cada um. O panorama do deserto parece se estender pelo menos até a órbita do planeta Netuno. E o cano de cada revólver parece ter mais ou menos o tamanho do túnel que liga Nova York a Nova Jersey.

Ainda mais que o cenário, o que me atraía era aquela sensação de épico, de *tamanho* apocalíptico. O fato de Leone não saber porra nenhuma da geografia americana (segundo um dos personagens, Chicago ficaria em algum lugar nas proximidades de Fênix, Arizona) contribuía para a sensação de imponente desajustamento do filme. E, no meu entusiasmo — talvez do tipo que só uma pessoa jovem pode manifestar —, eu quis escrever não apenas um livro *comprido*, mas *o romance popular mais comprido da história*. Não consegui fazer isso, mas sinto que cheguei bem perto; *A Torre Negra*, do primeiro ao sétimo volume, realmente compreende uma única história, e os primeiros quatro volumes se estendem por cerca de duas mil páginas em edição comum. Os últimos três volumes cobrem outras 2.500 páginas de original. Não estou tentando sugerir que a extensão tenha qualquer relação com qualidade; só estou dizendo que quis escrever um épico e, até certo ponto, consegui. Se você me perguntasse *por que* quis fazer isso, eu não saberia responder. Talvez faça parte de tornar-se um americano adulto: construir o mais alto, cavar o mais fundo, escrever o mais longo. E aquele coçar de cabeça quando a questão da motivação vem à tona? Parece que também faz parte de ser americano. No fim nos limitamos a dizer: *na época parecia uma boa idéia.*

3

Outra coisa, se me der licença, sobre ter 19 anos: é a idade, creio, em que muitos ficam razoavelmente confiantes (mental e emocionalmente, se não fisicamente). Os anos vão passando e um dia você se descobre olhando o espelho com real admiração. *Por que essas rugas no meu rosto?*, você pergunta. *De onde veio essa estúpida barriga? Droga, eu só tenho 19 anos!* Não é propriamente uma idéia original, o que de modo algum compromete o espanto da pessoa.

O tempo põe o grisalho na sua barba, o tempo leva o poder de explosão e enquanto isso você está pensando — como um tolo — que ele ainda está do seu lado. Seu lado lógico está mais bem informado, mas o coração se recusa a dar-lhe crédito. Se tiver sorte, o Patrulheiro que o multou por estar indo muito depressa, e se divertindo demais, também lhe dá uma dose de sais aromáticos. Foi mais ou menos o que me aconteceu perto do final do século XX. Veio na forma de uma van Plymouth que me jogou na vala ao lado da estrada em minha cidade natal.

Cerca de três anos após o acidente, fui a uma noite de autógrafos para *Buick 8* numa livraria Borders, em Dearborn, no Michigan. Chegando ao início da fila, um cara disse que estava realmente, realmente satisfeito pelo fato de eu ainda estar vivo. (Escuto muito isso, e é *muito* melhor do que ouvir "por que você não morre logo?".)

— Eu estava com um amigão meu quando soubemos que você tinha sido atropelado — disse ele. — Rapaz, começamos a balançar a cabeça e a dizer "lá se vai a Torre, está se inclinando, está caindo, ahhh, merda, agora ele *nunca* vai terminá-la".

Uma versão da mesma idéia tinha me ocorrido — a perturbadora idéia de que, tendo construído a Torre Negra na imaginação coletiva de um milhão de leitores, podia estar obrigado a torná-la segura pelo tempo que as pessoas quisessem ler sobre ela. Poderia ser no máximo por cinco anos; mas poderia também ser por 500. Histórias fantásticas, tanto as más quanto as boas (agora mesmo, provavelmente alguém lá fora está lendo *Varney, o Vampiro* ou *O Monge*), parecem ter longas vidas nas prateleiras. O meio de Roland proteger a Torre é tentar remover a ameaça às Hastes que mantêm a Torre de pé. Eu teria de fazer isso, percebi após meu acidente, acabando a história do pistoleiro.

Durante as longas pausas entre a redação e a publicação das primeiras quatro histórias da *Torre Negra*, recebi centenas de cartas tipo "arrume suas coisas, vamos viajar para o país da culpa". Em 1998 (ou seja, quando eu trabalhava sob a equivocada impressão de estar ainda basicamente com 19 anos), recebi uma carta de uma "avó/82 anos, não pretendo Incomodá-lo c/ Meus Problemas MAS!! muito Doente nesses Últimos Dias". A avó me contava que tinha provavelmente apenas um ano de vida ("14 meses no Máximo, o Câncer tomou conta de Mim") e, embora não esperasse que eu fosse concluir a história de Roland naquele prazo só por causa dela, queria saber se eu não poderia por favor (*por favor*) contar-lhe como ia acabar. A linha que cortou meu coração (embora não fundo o bastante para me fazer recomeçar a escrever) foi sua promessa de "não contar a Ninguém". Um ano depois — provavelmente após o acidente que me jogou no hospital —, uma de minhas assistentes, Marsha DiFilippo, recebeu a carta de um sujeito à beira da morte no Texas ou na Flórida, querendo saber essencialmente a mesma coisa: como ia acabar? (Prometia levar o segredo para o túmulo, o que me deu arrepios.)

Eu teria dado a essas duas pessoas o que elas queriam — um sumário das novas aventuras de Roland — se isso me fosse possível, mas infelizmente não era. Não tinha idéia das coisas que iam acontecer com o pistoleiro e seus amigos. Para saber, tenho de escrever. Já tinha feito um rascunho, mas o perdera pelo caminho (provavelmente, aliás, não valia merda nenhuma). Eu só tinha algumas anotações (tipo "rifle, pocotó, cabeça, não sei o quê-não sei o quê na cesta", como diz o papel duvidoso em cima da minha mesa enquanto escrevo isto). Por fim, a partir de julho de 2001, comecei a escrever de novo. A essa altura eu já sabia que não tinha mais 19 anos, nem estava isento de qualquer um dos males dos quais a carne é herdeira. Sabia que estava a caminho dos 60, talvez dos 70. E queria concluir minha história antes que o Patrulheiro mau viesse pela última vez. Não tinha pressa de ser posto na estante com *Os Contos de Canterbury* e *O Mistério de Edwin Drood*.

O resultado — qualquer que seja o seu valor — jaz na sua frente, Leitor Fiel, quer você esteja começando com o Volume Um ou se preparando para o Volume Cinco. Pouco importa se as pessoas gostam dela ou não, a história de Roland agora está pronta. Espero que você a desfrute.

Quanto a mim, eu me diverti pra valer.

Stephen King
25 de janeiro de 2003

Prefácio

A maior parte do que os escritores escrevem sobre seu trabalho é besteira mal contada.* É por isso que você nunca viu um livro intitulado *Os Cem Melhores Prefácios da Civilização Ocidental* ou *Preâmbulos Favoritos do Povo Americano.* É claro que isso é um julgamento de valores da minha parte, mas, depois de escrever pelo menos 50 introduções e prefácios — para não falar de um livro inteiro sobre a arte da ficção —, acho que tenho direito a ele. E acho que você deve me levar a sério quando digo que posso estar numa daquelas raras ocasiões em que tenho algo que realmente vale a pena ser dito.

Alguns anos atrás, criei certo furor entre meu leitores ao apresentar uma versão revista e ampliada de meu romance *A Dança da Morte.* Fiquei justificadamente apreensivo acerca do livro porque *A Dança da Morte* sempre foi a história de que meus leitores mais gostavam (no que diz respeito aos fãs mais incondicionais da *Dança,* eu poderia ter morrido em 1980 sem que o mundo se tornasse um lugar perceptivelmente mais pobre).

Se há uma história que rivaliza com *A Dança da Morte* na imaginação dos leitores de King, é provavelmente o romance de Roland Deschain e sua busca da Torre Negra. E agora — porra! — acabei fazendo de novo a mesma coisa.

---

* Para uma discussão mais completa do Fator Besteira, ver *On Writing,* publicado pela Scribner's em 2000.

Só que não fiz, não de verdade, e quero que saiba disso. Também quero que fique sabendo o que eu *realmente* fiz, e por quê. Talvez para você não tenha importância, mas é *muito* importante para mim, e por isso este prefácio fica isento (eu espero) da Regra da Besteira do King.

Primeiro, por favor não esqueça que *A Dança da Morte* sofreu cortes profundos no original — não por razões editoriais, mas financeiras (também houve limitações de acabamento, mas não quero chegar tão longe). O que repus no fim dos anos 80 foram seções já revistas do manuscrito preexistente. Também revisei o trabalho como um todo, atento principalmente ao conhecimento da epidemia de aids, que floresceu (se assim se pode dizer) entre a primeira edição de *A Dança da Morte* e a publicação da versão revista oito ou nove anos depois. O resultado foi um volume com cerca de 100 mil palavras a mais que o original.

No caso de *O Pistoleiro*, o volume original era fino e o material acrescentado nesta versão não passa de 35 páginas, cerca de nove mil palavras. Se você já leu *O Pistoleiro*, só encontrará aqui duas ou três cenas totalmente novas. Os puristas da Torre Negra (que existem em número surpreendente — dê uma olhada na internet) vão querer ler novamente o livro, é claro, e a maior parte deles será capaz de fazê-lo com um misto de curiosidade e irritação. Entendo isso, mas tenho de dizer que estou menos preocupado com eles que com os leitores que nunca se depararam com Roland e seu *ka-tet.**

A despeito de ter fervorosos seguidores, a história da Torre é bem menos conhecida por meus leitores que *A Dança da Morte*. Às vezes, quando faço palestras, peço a quem já leu um ou mais de meus livros que levante a mão. Pelo simples fato de se terem dado ao trabalho de estar lá — o que às vezes inclui a inconveniência de ter de chamar uma *baby-sitter* e arcar com a despesa adicional da gasolina no velho automóvel —, não é de admirar que a maior parte dos presentes levantem a mão. Então, peço que mantenham as mãos levantadas se já leram uma ou mais histórias da Torre Negra. Quando digo isso, pelo menos metade das mãos invariavelmente se abaixa. A conclusão é bastante clara: embora eu tenha gasto uma excessiva quantidade de tempo escrevendo os livros da série nos 33 anos entre

* Aqueles ligados pelo destino.

1970 e 2003, relativamente poucas pessoas os leram. Aqueles que o fizeram, no entanto, ficaram apaixonados, e eu mesmo me senti consideravelmente assim — pelo menos a ponto de nunca deixar Roland escapar para aquele exílio que é a infeliz morada de personagens mal acabados (pense nos peregrinos de Chaucer a caminho de Canterbury ou na gente que povoava o último e inacabado romance de Charles Dickens, *O Mistério de Edwin Drood*).

Acho que eu sempre presumi (em algum lugar no fundo da minha mente, pois não me lembro de ter pensando nisso de modo consciente) que haveria tempo para terminar, que talvez Deus me mandasse um telegrama cantado na hora combinada: "Dim-dom-dom, dim-dom-dorre/ Volte ao trabalho, Stephen,/Acabe a Torre". E, de certa forma, realmente aconteceu algo parecido, embora não se tratasse de um telegrama cantado, mas de contato imediato com a pequena van Plymouth que me faria recomeçar. Se o carro que me atingiu naquele dia fosse um pouco maior ou se a batida fosse um pouco mais direta, teria sido um caso de por favor não mandem flores, a família King agradece os votos de pesar. E a busca de Roland teria permanecido para sempre inacabada, ao menos por mim.

Seja como for, em 2001 — época em que eu já começara a me sentir de novo mais autoconfiante —, decidi que estava na hora de acabar a história de Roland. Pus tudo de lado e comecei a trabalhar nos últimos três livros. Como sempre, fiz isso não tanto para os leitores que o exigiam, mas para mim mesmo.

Ainda que no inverno de 2003, quando escrevo isto, as revisões dos últimos dois volumes ainda não tenham sido feitas, os livros em si foram terminados no verão passado. E no intervalo entre o trabalho editorial com o Volume Cinco (*Lobos de Calla)* e o Volume Seis (*Canção de Susannah*), decidi que estava na hora de voltar ao começo e iniciar as últimas revisões completas. Por quê? Porque na realidade estes sete volumes jamais foram histórias distintas, mas partes de um mesmo romance extenso chamado *A Torre Negra,* e o início estava fora de sincronia com o final.

Minha abordagem da revisão não tem se alterado muito nos últimos anos. Sei que certos escritores revêem à medida que vão escrevendo, mas meu método de ataque sempre foi mergulhar de cabeça e avançar o mais depressa possível, mantendo o gume da lâmina da narrativa o mais afiado possível pelo uso constante, e tentando ultrapassar o inimigo mais insidioso do escritor, que é a dúvida. Olhar para trás inspira perguntas demais: Até que ponto meus personagens são verossímeis? A história é mesmo interessante? Até que ponto é realmente boa? Alguém vai gostar dela? Eu vou gostar?

Quando meu primeiro rascunho de um livro fica pronto, eu o ponho de lado, com tudo que ele tem de ruim, para amadurecer. Algum tempo depois — seis meses, um ano, dois anos, realmente não importa —, consigo voltar a ele com um olhar mais frio (embora ainda amoroso) e dou início à tarefa de rever. E ainda que cada livro da série da Torre fosse revisto como entidade separada, consegui realmente ver a obra como um todo ao terminar o Volume Sete, *A Torre Negra*.

Quando tornei a olhar para o primeiro volume, que agora você tem em mãos, três verdades evidentes se apresentaram. A primeira foi que *O Pistoleiro* havia sido escrito por um homem muito jovem e tinha todos os problemas do livro de um homem muito jovem. A segunda foi que continha uma grande quantidade de lapsos e falsos pontos de partida, particularmente à luz dos volumes que vieram depois.* A terceira foi que *O Pistoleiro* não era sequer *parecido* com os últimos livros — era, francamente, um tanto difícil de ler. Com muita freqüência eu me ouvia me desculpando por ele, dizendo que, se as pessoas perseverassem, veriam a história encontrar sua verdadeira voz em *A Escolha dos Três*.

Em determinado ponto de *O Pistoleiro*, Roland é descrito como o tipo de homem que alinharia quadros em quartos de hotéis desconhecidos. Eu mesmo sou esse tipo de cara e, até certo ponto, isso é tudo que reescrever significa: endireitar os quadros, passar aspirador no chão, esfregar os banheiros. Executei muitas tarefas domésticas no transcurso desta revisão e tive a oportunidade de fazer o que qualquer escritor quer fazer com um trabalho que está pronto mas ainda precisa de um polimento e uma regulada: *simplesmente fazer direito*. A partir do momento em que

* Um exemplo provavelmente servirá por todos. No texto da edição anterior de *O Pistoleiro*, Farson é o nome de uma pequena cidade. Em volumes posteriores, acaba se tornando o nome de um *homem*: o rebelde John Farson, que arquiteta a queda de Gilead, a cidade-estado onde Roland passa a infância.

você sabe como as coisas funcionam, você deve isso ao leitor potencial — e a você mesmo: volte e ponha as coisas em ordem. Foi o que tentei fazer aqui, tendo sempre o cuidado de impedir que algum acréscimo ou alteração deixasse escapar os segredos ocultos nos últimos três livros do ciclo, segredos que, em certos casos, venho pacientemente guardando a nada menos de 30 anos.

Antes de encerrar, gostaria de dizer uma palavra sobre o homem mais novo que se atreveu a escrever este livro. O jovem se expusera a um número excessivo de seminários sobre a escrita e acabara se ajustando demais às idéias que aqueles seminários propagam: que a pessoa não está escrevendo para outra pessoa, mas para si mesma; que a linguagem é mais importante que a história; que a ambigüidade é preferível à clareza e à simplicidade, indícios, geralmente, de mente grosseira e literal. Como resultado, não fiquei surpreso ao encontrar um alto grau de pretensão na primeira aparição de Roland (para não mencionar o surgimento de milhares de advérbios desnecessários). Removi o máximo que pude da tagarelice vazia e não lamento um só corte nesse sentido. Em outros pontos — invariavelmente naqueles em que fui induzido a esquecer as idéias do seminário de escrita por algum episódio particularmente envolvente da história —, pude deixar o texto quase inteiramente em paz, salvo pelos detalhes habituais de revisão que qualquer escritor precisa observar. Como já assinalei em outro lugar, só Deus faz as coisas certas logo da primeira vez.

Seja como for, não quis sufocar ou mesmo alterar demais o modo como a história fora contada; apesar de todos os defeitos, ela tem seu próprio encanto, acho eu. Alterá-la de forma muito radical seria repudiar a pessoa que escreveu pela primeira vez sobre o pistoleiro no final da primavera e início do verão de 1970, e isso eu não quis fazer.

O que eu *realmente* quis fazer — e, se possível, antes de saírem os últimos volumes da série — foi dar aos recém-chegados à história da Torre (e aos velhos leitores que quiserem refrescar suas lembranças) um ponto de partida mais claro e um acesso ligeiramente mais fácil ao mundo de Roland. Também quis que tivessem um volume que antecipasse mais efetivamente acontecimentos futuros. Espero ter conseguido. E se você for um dos que jamais visitou o mundo estranho no qual Roland se move com seus amigos, espero que desfrute as maravilhas que encontrará por lá.

Mais que qualquer outra coisa, eu quis contar uma história de espanto. Se você se descobrir caindo sob o feitiço da Torre Negra, mesmo que só um pouco, vou considerar cumprido meu trabalho, que começou em 1970 e, no geral, acabou em 2003. Roland, contudo, seria o primeiro a salientar que tal intervalo de tempo não significa grande coisa. De fato, quando alguém anda à procura da Torre Negra, o tempo é um assunto que não tem absolutamente nenhuma importância.

6 de fevereiro de 2003

...uma pedra, uma folha, uma porta não encontrada; de uma folha, uma pedra, uma porta. E de todos os rostos esquecidos.

Nus e sozinhos entramos no exílio. Em seu útero escuro, não reconhecemos o rosto de nossa mãe; da prisão de sua carne viemos entrar na indizível e incomunicável prisão desta terra.

Algum de nós conheceu seu irmão? Algum de nós investigou o coração de seu pai? Algum de nós não permaneceu para sempre prisioneiro-encurralado? Algum de nós não é para sempre um estranho sozinho?

...Oh fantasma perdido, e pelo vento tocado, volte outra vez.

Thomas Wolfe
Look Homeward, Angel

19

RECOMEÇO

Capítulo 1

O Pistoleiro

1

O homem de preto fugia pelo deserto e o pistoleiro ia atrás.

O deserto era a apoteose de todos os desertos, imenso, estendendo-se para o céu no que parecia ser eternidade em todas as direções. Era branco e ofuscante e seco e sem feições a não ser o débil, enevoado traço das montanhas que se esboçavam no horizonte e a erva do diabo que trazia sonhos doces, pesadelos, morte. Uma ocasional placa mortuária indicava o caminho, pois antigamente a trilha poeirenta que avançava pela espessa crosta alcalina fora uma rodovia. Diligências e carroças tinham passado por lá. O mundo havia continuado desde então. O mundo havia se esvaziado.

O pistoleiro fora atingido por uma momentânea tontura, uma espécie de guinada que fez o mundo inteiro parecer etéreo, quase uma coisa que pudesse ser atravessada pelo olhar. Isso passou e, como o mundo sobre cujo couro ele andava, ele continuou. Foi vencendo apaticamente as milhas, sem afobação, sem perda de tempo. Trazia um cantil de couro pendurado na cinta como uma salsicha estufada. Estava quase cheio. Avançara através da *khef* durante muitos anos e atingira talvez o quinto nível. Se fosse um santo *manni*, podia nem sentir a sede; observaria o corpo desidratando com atenção clínica, isenta, e só irrigaria as trincadas e escuras cavidades internas quando a lógica lhe dissesse que isso devia ser feito. Não era, porém, um *manni*, nem um seguidor daquele homem, Jesus, e não se considerava de modo algum santo. Era apenas, para resumir, um peregrino comum e o que podia dizer com toda certeza era que tinha sede. E, mesmo assim, não sentia qualquer ímpeto especial de beber. De um modo vago, aquilo o agradava. Era uma exigência daqueles campos, campos sedentos, e em sua longa vida ele não fora outra coisa além de adaptável.

Debaixo do cantil ficavam seus revólveres, a cuidadosa distância das mãos; uma placa de metal fora adicionada a cada um quando passaram do pai para ele; o pai tinha sido mais leve e não tão alto. Os dois cinturões se cruzavam acima da braguilha da calça. A camada de óleo dos coldres era tão profunda que mesmo aquele sol filisteu não conseguia rachá-la. As coronhas eram de sândalo, amarelo e primorosamente raiado. Correias de couro cru mantinham os coldres folgados contra suas coxas, fazendo-os balançar um pouco a cada passada; elas tinham apagado o azul do *jeans* (e puído o tecido), formando dois arcos, que quase lembravam sorrisos. A coisa de metal da munição roçava contra o cinturão heliografado no sol. Havia menos cartuchos agora. O couro dava pequenos rangidos.

A camisa dele, da não-cor de chuva ou poeira, estava aberta no pescoço, com uma tira de couro saindo frouxa dos ilhós furados à mão. O chapéu se fora. Assim como o chifre de boi que antigamente levava; se fora há muitos anos aquele chifre, solto da mão de um amigo moribundo, e ele perdera os dois.

Encarou uma duna de elevação suave (embora não houvesse areia ali; era um deserto de terra dura, onde mesmo os ventos cortantes, que sopravam quando vinha a escuridão, só conseguiam levantar uma poeira irritantemente áspera, como pó de metal) e viu os restos chutados de uma minúscula fogueira no lado oposto ao vento, o lado que o sol abandonaria primeiro. Pequenos sinais como aquele, afirmando de novo a possível humanidade do homem de preto, sempre conseguiam agradá-lo. Os lábios se esticaram nos restos marcados, lascados do rosto. Foi um esgar horrível, doloroso. Ele se pôs de cócoras.

Sua presa tinha queimado a erva do diabo, é claro. Era a única coisa ali que *de fato* queimaria. Queimava com uma luz oleosa, uniforme, e queimava devagar. Moradores da orla tinham lhe dito que os demônios viviam até mesmo nas chamas. Eles a queimavam, mas não olhavam para a luz. Diziam que os demônios hipnotizavam, chamavam, acabavam puxando quem olhasse para as chamas. E o próximo homem suficientemente estúpido para encarar o fogo poderia ver o anterior.

A relva queimada estava cruzada no agora familiar padrão ideográfico e se desfez num cinzento inútil ante a mão agitada do pistoleiro. Nada havia nos restos além de um pedaço queimado de toucinho, que ele comeu com ar concentrado. Fora sempre assim. Já há dois meses o pistoleiro seguia o homem de preto através do deserto, pelas infindáveis, gritantemente monótonas extensões de purgatório, e ainda não descobrira outras pistas além dos ideogramas higiênicos e estéreis das fogueiras que ele fazia. Não encontrara uma lata, uma garrafa ou cantil (o pistoleiro deixara quatro dos seus para trás, como peles de cobra). Não encontrara qualquer esterco. Presumiu que o homem de preto o enterrava.

Talvez as fogueiras fossem uma mensagem, soletrando uma Grande Carta de cada vez. *Mantenha distância, parceiro*, podiam dizer. Ou: *O fim passou perto*. Ou talvez até: *Venha me pegar*. Pouco importava o que diziam ou não. Ele não estava interessado em mensagens, se mensagens houvesse. O que importava era que aquelas cinzas eram tão frias quanto todas as outras. Contudo, havia progredido. Sabia que estava mais perto, mas não sabia como sabia. Uma espécie de cheiro, talvez. O que também não importava. Continuaria avançando até que algo mudasse e, se nada mudasse, mesmo assim continuaria avançando. Haveria água se Deus quisesse, diziam os moradores antigos. Água se Deus quisesse, mesmo no deserto. O pistoleiro se levantou, sacudindo as mãos.

Nenhum outro sinal; o vento, cortante como navalha, teria sem dúvida dispersado as raras marcas eventualmente deixadas sobre a terra dura. Nenhum excremento humano, nenhum lixo posto fora, nem um único sinal de onde essas coisas pudessem ter sido enterradas. Nada. Só aquelas fogueiras apagadas ao longo da antiga rodovia movendo-se para sudeste, e o incansável marcador de quilometragem na sua cabeça. Embora, é claro, houvesse mais que isso; a atração para sudeste era mais que apenas um senso de direção, mais até que magnetismo.

Sentou-se e se permitiu um pequeno gole do cantil. Lembrou-se daquele momento de tontura no início do dia, a sensação de estar quase destacado do mundo, e se perguntou o que aquilo poderia significar. Por que aquela tontura o fazia pensar na corneta de chifre e no último de seus velhos amigos, ambos perdidos há tanto tempo no monte Jericó? Ainda tinha os revólveres — os revólveres do pai — e certamente eles eram mais importantes que cornetas... ou mesmo que amigos.

Não eram?

A questão era um tanto perturbadora, mas como não parecia haver outra resposta além da óbvia, ele a pôs de lado, possivelmente para considerações posteriores. Esquadrinhou o deserto e depois ergueu os olhos para o sol, agora deslizando para um afastado quadrante do céu que, estranhamente, não ficava de todo a oeste. Levantou-se, tirou as luvas surradas do cinto e começou a puxar a erva do diabo para sua própria fogueira, depositando-a sobre as cinzas que o homem de preto havia deixado. Julgou a ironia, como a sede, amargamente significativa.

Quando tirou da bolsa o sílex e a vara de pederneira, os restos do dia já eram apenas um calor fugidio no chão sob seus pés e uma sardônica linha laranja no horizonte monocromático. Sentou-se com o revólver estendido no colo e observou pacientemente o sudeste, olhando para as montanhas, não esperando ver a linha fina e regular da fumaça de uma nova fogueira, não esperando ver um brilho alaranjado de chama, mas observando de qualquer modo, pois observar fazia parte da coisa e trazia sua própria e amarga gratificação. *Você não verá o que não estiver procurando, maluco,* Cort teria dito. *Abra os faroletes que ganhou dos deuses, valeu?*

Mas não havia nada. Estava perto, mas só em termos relativos. Não perto o bastante para ver fumaça no pôr-do-sol ou o clarão alaranjado de uma fogueira.

Mexeu o sílex embaixo da vara de ferro e levou a centelha ao mato seco, espigado, sussurrando velhas e poderosas palavras que nada significavam: "Faísca-a-risca, cadê meu pai? Vou me cansar? Vou me amparar? Abençoe com fogueira este campo." Era estranho como certas palavras e manias de infância caíam e eram deixadas para trás, enquanto outras se mantinham firmes e seguiam a vida inteira conosco, tornando-se cada vez mais pesadas à medida que o tempo passava.

Ele se esquivou da corrente do pequeno clarão, deixando a fumaça irreal seguir para o deserto. O vento, a não ser por eventuais redemoinhos da poeira infernal, era uniforme.

No alto, as estrelas surgiam sem piscar, também constantes. Sóis e mundos aos milhões. Estonteantes constelações, tom mortiço em cada foco principal de luz. Enquanto contemplava, o céu escureceu do violeta ao ébano. Um meteoro desenhou um arco espetacular e breve sob a Velha Mãe e desapareceu piscando. O fogo lançava estranhas sombras enquanto a erva do diabo queimava devagar, formando novos padrões — não ideogramas, mas um xadrez simples, vagamente assustador em sua absurda simplicidade. Não depositara a erva combustível num padrão engenhoso, mas apenas funcional. Que falava em preto-e-branco. Que falava de um homem que era capaz de endireitar quadros tortos em quartos de hotéis desconhecidos. O fogo ardia com labaredas firmes, vagarosas, e espectros dançavam no centro incandescente. O pistoleiro não viu. Os dois padrões, o artístico e o utilitário, uniram-se enquanto ele dormia. O vento gemia, como bruxa com câncer na barriga. De vez em quando, uma perversa corrente de ar fazia a fumaça girar e soprar em sua direção; ele a inalava um pouco. A fumaça criava sonhos do modo como um pequeno estímulo irritante pode criar uma pérola numa ostra. De vez em quando, o pistoleiro gemia com o vento. As estrelas eram tão indiferentes a isto quanto a guerras, crucificações, ressurreições. O que também parecia agradá-lo.

2

Chegara ao final do último contraforte puxando o jumento, cujos olhos já estavam mortos e esbugalhados com o calor. Passara pela última cidade três semanas antes e desde então só via a trilha de chão deserta e um ocasional aglomerado das casas de sapê dos moradores da orla. Os aglomerados tinham degenerado em habitações isoladas, em geral ocupadas por leprosos ou loucos. Achou que os loucos eram melhor companhia. Um lhe dera uma bússola Silva de aço inox e mandou que ele a entregasse ao Homem Jesus. O pistoleiro aceitou-a com ar grave. Se O visse, entregar-lhe-ia a bússola. Não contava que isto fosse acontecer, mas tudo era possível. Um dia viu um Encarnado — o que viu era um homem com cabeça de corvo —, mas a coisa miserável, ante seu grito de saudação, fugiu grasnando o que podiam ter sido palavras. O que podiam ter sido pragas.

Cinco dias haviam se passado desde a última cabana. Começara a desconfiar que não veria mais nenhuma quando, ao subir o último morrote comido pela erosão, viu a familiar meia-água coberta de palha.

O colono, homem surpreendentemente jovem com um revolto emaranhado de cabelo ruivo que lhe chegava quase à cintura, estava abrindo, com extremo desleixo, um pequeno feixe de espigas de milho. O jumento deixou escapar um ronco ofegante e o colono ergueu os olhos, brilhantes olhos azuis que alcançaram o pistoleiro como se ele fosse um alvo. O colono estava desarmado, sem qualquer cano ou culatra que o pistoleiro pudesse ver. Levantou as duas mãos em breve saudação e tornou a se curvar sobre o milho, carregando o feixe para o lado da cabana com as costas curvadas, jogando a erva do diabo e uma ou outra espiga mais atrofiada por sobre o ombro. O cabelo se agitava e voava no vento que vinha agora diretamente do deserto, sem nada para amortecê-lo.

O pistoleiro desceu devagar o morrote, puxando o animal em cujo lombo seus cantis se sacudiam. Fez uma pausa na beira do milharal de aparência morta, tomou um gole de um dos cantis para puxar a saliva e cuspiu no solo árido.

— Vida para sua colheita.

— Vida para você também — respondeu o colono erguendo o corpo. As costas estalaram nitidamente e ele examinou o pistoleiro sem medo. O pouco de rosto visível entre barba e cabelo não parecia marcado pela podridão, e os olhos, embora meio selvagens, pareciam sãos.

— Longos dias e belas noites, estranho.

— Que você tenha tudo isso em dobro.

— Difícil — respondeu o colono, deixando escapar um riso curto. — Bem, não tenho nada além de milho e feijões graúdos; o milho dou de graça, mas você tem de dar alguma contribuição pelos feijões. Um homem traz de vez em quando os feijões. Não se demora. — O colono ri secamente. — Tem medo dos espíritos. Medo do homem-pássaro também.

— Já o vi. Quero dizer, vi o homem-pássaro. Ele fugiu de mim.

— É, está perdido. Diz que procura um lugar chamado Algul Siento, que às vezes também chama de Porto Azul ou Céu Azul, não sei qual dos dois. Sabe onde fica isso?

O pistoleiro balançou negativamente a cabeça.

— Bem... ele não morde nem embosca, então que se foda. Você está vivo ou morto?

— Vivo — disse o pistoleiro. — Você fala como os *mannis*.

— Andei um tempo com eles, mas aquilo não era vida pra mim; claro, são muito camaradas e estão sempre à procura de buracos no mundo.

Era verdade, o pistoleiro refletiu. Os *mannis* eram grandes viajantes. Os dois se olharam um instante em silêncio e então o colono estendeu a mão:

— Eu me chamo Brown.

O pistoleiro apertou a mão e disse seu nome. Ao fazê-lo, um corvo mirrado grasnou da pequena altura do telhado de sapê. O colono gesticulou rapidamente para ele.

— É o Zoltan.

Ao som de seu nome, o corvo tornou a grasnar e esvoaçou para Brown. Pousou e se empoleirou na cabeça do colono, as garras firmemente enroscadas nos tufos selvagens de cabelo.

— Dane-se — Zoltan grasnou animadamente. — Dane-se você e o cavalo em que viajou.

O pistoleiro abanou amavelmente a cabeça.

— Feijões, feijões, fruto musical — o corvo recitou, inspirado. — Quanto mais você come, mais você toca.

— Ensinou isso a ele?

— É só o que ele quer saber, eu acho — disse Brown. — Um dia tentei ensinar o pai-nosso. — Por um momento, seus olhos ultrapassaram a cabana em direção à monótona aridez da terra dura. — Acho que este não é lugar para o pai-nosso. Você é um pistoleiro. Estou certo?

— Sim. — Ele ficou de cócoras e mostrou suas armas. Zoltan se lançou da cabeça de Brown e aterrissou, alvoroçado, no ombro do pistoleiro.

— Achei que não existia mais gente da sua espécie — disse o colono.

— Então está vendo diferente, não é?

— Veio do Mundo Interior?

— Há muito tempo — confirmou o pistoleiro.

— Sobrou alguma coisa por lá?

A isso o pistoleiro não deu resposta, mas o rosto sugeriu que era melhor não insistir no assunto.

— Acho que está atrás daquele outro.

— É. — Seguiu-se a inevitável pergunta: — Quanto tempo desde que ele passou?

— Não sei — disse Brown dando de ombros. — O tempo é engraçado aqui. A distância e a direção também. Mais de duas semanas. Menos de dois meses. O homem do feijão veio duas vezes desde que ele passou. Eu diria seis semanas. Mas provavelmente estou errado.

— Quanto mais você come, mais você toca — disse Zoltan.

— Ele demorou? — perguntou o pistoleiro.

— Ficou para jantar — disse Brown abanando a cabeça —, como você vai ficar, eu acho. Conversamos um pouco.

O pistoleiro se levantou e o pássaro voou de volta para o telhado, gritando. Ele sentiu uma estranha, nervosa impaciência.

— Do que falou?

Brown ergueu uma sobrancelha.

— Não falou muito. Só perguntou se andava chovendo e quando eu tinha vindo pra cá e se eu tinha enterrado minha mulher. Perguntou se ela era do povo *manni* e eu disse que sim, porque acho que ele já sabia. Falei a maior parte do tempo, o que é difícil acontecer. — Fez uma pausa e o único barulho foi o vento forte. — Ele é um bruxo, não é?

— Entre outras coisas.

— Já sabia. — Brown abanou lentamente a cabeça. — Deixou cair um coelho da manga, todo limpo e pronto para a panela. Você também é?

— Bruxo? — O pistoleiro riu. — Sou apenas um homem.

— Nunca vai pegá-lo.

— Vou pegá-lo.

Um olhou para o outro, uma repentina onda de sentimento entre os dois, o colono no seu solo seco, poeirento, o pistoleiro ainda na terra dura, que descia pelo deserto, estendendo agora a mão para o sílex.

— Aqui. — Brown mostrou um fósforo de cabeça de enxofre, riscando-o com a unha suja. O pistoleiro pôs a ponta do cigarro na chama e tragou.

— Obrigado.

— Talvez você queira encher os cantis — disse o colono se afastando. — A fonte está lá atrás, debaixo das calhas. Vou cuidar do jantar.

O pistoleiro passou cuidadosamente sobre os feixes de milho e fez o contorno para trás da casa. O veio estava no fundo de um poço cavado à mão, cercado de pedras para impedir a entrada de terra. Descendo pela frágil escadinha, o pistoleiro ponderou que as pedras deviam ter custado no mínimo dois anos de trabalho — para puxar, dragar, encaixar. A água era clara, mas se movia devagar e encher os cantis foi tarefa demorada. Quando acabava de encher o segundo cantil, Zoltan se empoleirou na beirada do poço.

— Dane-se você e o cavalo em que viajou — advertiu.

O pistoleiro olhou para cima, sobressaltado. Era um poço de cinco metros de profundidade: seria fácil Brown jogar uma pedra em cima dele, quebrar-lhe a cabeça e roubar o que tinha. Um louco ou um leproso não fariam isso; Brown não era nenhum dos dois. Mas ele gostava de Brown, então tirou o pensamento da cabeça e pegou o resto da água que Deus quisera dar. Se Deus quisesse mais alguma coisa, era um problema de *ka*, não dele.

Quando atravessou a porta da cabana e desceu os degraus (a choça propriamente dita estava situada abaixo do nível do chão, com a finalidade de captar e conservar o frescor das noites), Brown estava colocando espigas de milho nas brasas de uma diminuta fogueira com uma rude espátula de madeira. Dois pratos toscos haviam sido arrumados nas extremidades opostas de uma manta um tanto suja. A água para o feijão estava apenas começando a ferver na panela pendurada sobre o fogo.

— Vou pagar pela água, também.

Brown não ergueu os olhos.

— A água é dádiva de Deus, como acho que você sabe. Mas o feijão é Pappa Doc quem traz.

O pistoleiro ensaiou um riso, sentou-se com as costas na parede áspera, cruzou os braços e fechou os olhos. Pouco depois, o cheiro de milho assando chegou a seu nariz. E houve um ruído de pedrinhas batendo quando Brown atirou um punhado de feijões na panela. De vez em quando era o *tac-tac-tac* de Zoltan andando de um lado para o outro no telhado. O pistoleiro estava cansado; avançara 16, às vezes 18 horas por dia no caminho entre aquela casa e o horror que acontecera em Tull, a última aldeia. E seguira a pé nos últimos 12 dias; o jumento, no fim de sua resistência, já vivia apenas por força do hábito. Um dia, ele conheceu um garoto chamado Sheemie, que também tinha um jumento. Sheemie agora se fora; agora todos tinham ido e só restavam os dois: ele e o homem de preto. Ouvira rumores de outras terras além daquela, terras verdes num lugar chamado Mundo Médio, mas era difícil de acreditar. Terras verdes, ali, pareciam fantasia infantil.

Tac-tac-tac.

Duas semanas, Brown tinha dito, no máximo seis. Não importava. Tinham existido calendários em Tull e o homem de preto devia ter ficado registrado num deles por causa do velho que havia curado ao passar por lá. Só um velho morrendo por causa da erva. Um velho de 35 anos. Se Brown estivesse certo, ele já encurtara um bom trecho da distância que o separava do homem de preto. Mas o deserto estava ao lado. E o deserto seria o inferno.

Tac-tac-tac...

Empreste-me suas asas, pássaro. Vou abri-las e voar sobre as correntes de ar quente.

Dormiu.

3

Foi acordado por Brown uma hora mais tarde. Estava escuro. A única luz era o fosco clarão avermelhado da pilha de brasas.

— Seu jumento morreu — disse Brown. — Desculpe por eu contar. Aprontei o jantar.

— Como?

— Assando e fervendo, como haveria de ser? — Brown deu de ombros. — Você é exigente?

— Não, o jumento.

— Ficou estendido lá embaixo, só isso. Parecia um jumento velho. — E num tom de desculpas: — Zoltan comeu os olhos.

— Ah. — Ele devia ter contado com isso. — Tudo bem.

Quando se sentaram diante da manta que servia de mesa, Brown surpreendeu-o de novo fazendo uma breve oração: pediu chuva, saúde e expansão para o espírito.

— Você acredita numa vida após a morte? — o pistoleiro perguntou a Brown quando ele punha três espigas de milho quentes no seu prato.

Brown assentiu.

— Acho que é esta aqui.

4

Os feijões eram como balas, o milho, rijo. Lá fora, a corrente de vento mais forte chorava e gemia ao redor das calhas situadas ao nível do chão. O pistoleiro comeu rapidamente, com entusiasmo, tomando quatro copos d'água. No meio da refeição, houve uma batida sincopada na porta. Brown se levantou e deixou que Zoltan entrasse. O pássaro voou pela sala e se arqueou, mal-humorado, num canto.

— Fruto musical — ele resmungou.

— Nunca pensou em comê-lo? — perguntou o pistoleiro.

O colono riu.

— Animais que falam são duros — disse ele. — Pássaros, mamangavas, feijões humanos. Duros de comer.

Após o jantar, o pistoleiro ofereceu do seu tabaco. O colono Brown aceitou com avidez.

Agora, pensou o pistoleiro. *Agora vêm as perguntas.*

Mas Brown não fez perguntas. Fumou o tabaco, que crescera em Garlan anos antes, olhando para as brasas quase apagadas da fogueira. Já estava nitidamente mais fresco na cabana.

— Não nos deixeis cair em tentação — disse Zoltan de repente, apocalipticamente.

O pistoleiro pulou como se tivesse levado um tiro. Súbito teve certeza de que tudo aquilo era ilusão, que o homem de preto havia lançado um feitiço e estava tentando dizer-lhe alguma coisa de um modo simbólico, loucamente absurdo.

— Conhece Tull? — perguntou bruscamente.

Brown assentiu.

— Passei por lá para chegar aqui — disse. — Voltei uma vez para vender meu milho e tomar um uísque. Choveu naquele ano. Durou talvez uns 15 minutos. O solo simplesmente pareceu se abrir e sugar a água.

Uma hora depois, estava tudo tão branco e seco como sempre. Mas o milho de lá... Deus, o milho. Você podia vê-lo crescer. O que já não era tão mau. Mas você podia também *ouvi-lo*, como se a chuva lhe tivesse dado boca. Não era um som alegre. O milharal parecia estar suspirando e gemendo ao irromper da terra. — Fez uma pausa. — Mas ainda consegui vender um pouco do meu milho. Pappa Doc disse que faria isso para mim, mas teria me enganado. Então eu mesmo fui.

— Não gosta da cidade?

— Não.

— Quase me mataram lá — disse o pistoleiro.

— Verdade?

— Tem meu testemunho e garantia a esse respeito. E matei um homem que era tocado por Deus — disse o pistoleiro. — Só que não era Deus. Era o homem com o coelho na manga. O homem de preto.

— Ele te aprontou uma armadilha.

— Foi exatamente o que fez.

Um olhou para o outro nas sombras, um momento que foi ganhando semitons de importância.

Agora *vêm as perguntas.*

Mas Brown ainda não tinha perguntas a fazer. Seu cigarro se transformara num inseto cheio de cinzas, mas, quando o pistoleiro lhe bateu de leve com o cotovelo, ele ergueu a cabeça.

Zoltan se mexeu inquieto, pareceu que ia dizer alguma coisa, acalmou-se.

— Devo lhe contar como foi? — o pistoleiro perguntou. — Geralmente não sou muito falador, mas...

— Às vezes falar ajuda. Estou ouvindo.

O pistoleiro procurou palavras para começar e não encontrou nenhuma.

— Tenho de tirar uma água do joelho — disse.

Brown assentiu.

— Faça no milho, por favor.

— Certo.

Ele subiu a escada e saiu no escuro. As estrelas brilhavam sobre sua cabeça. O vento pulsava. A urina arqueou sobre a poeira do milharal num fio ondulante. O homem de preto o atraíra para lá. Não estava além do possível que Brown *fosse* o homem de preto. Podia ser...

O pistoleiro calou esses pensamentos inúteis e perturbadores. A única situação que não aprendera a suportar era a possibilidade de sua própria loucura. Voltou para dentro.

— Já chegou à conclusão se sou ou não um encantamento? — Brown perguntou, divertido.

Sobressaltado, o pistoleiro parou no pequeno patamar. Depois desceu devagar e sentou.

— O pensamento passou pela minha cabeça. Você é?

— Se sou, eu não sei.

Não era uma resposta das mais precisas, mas o pistoleiro achou melhor deixá-la passar.

— Comecei a contar a você sobre Tull.

— A cidade está crescendo?

— Está morta — disse o pistoleiro. — Eu a matei. — Pensou em acrescentar: *E agora vou matar você, pela simples razão de que não quero ser obrigado a dormir com um olho aberto.* Mas chegaria mesmo a fazer aquilo? Se assim fosse, qual o sentido de continuar? Qual o sentido, se tivesse se transformado naquilo que perseguia?

— Não quero nada de você, pistoleiro — disse Brown —, exceto continuar aqui quando você for embora. Não vou suplicar por minha vida, o que não significa que não a queira por mais algum tempo.

O pistoleiro fechou os olhos. Sua cabeça girava.

— Diga-me o que você é — falou gravemente.

— Apenas um homem. Um homem que não significa risco para você. E ainda estou disposto a ouvi-lo se estiver disposto a falar.

A isso o pistoleiro não deu resposta.

— Mas acho que não se sentirá à vontade se não for convidado — disse Brown —, e é o que vou fazer. Não quer me contar sobre Tull?

O pistoleiro ficou surpreso ao descobrir que desta vez as palavras chegavam. Começou a falar em jorros contidos que, aos poucos, foram se propagando numa narrativa regular, quase sem altos e baixos. Sentia um entusiasmo estranho. Foi pela noite adentro falando. Brown não o interrompeu de modo algum. Nem o pássaro.

5

Tinha comprado o jumento em Pricetown e, quando chegou a Tull, ele ainda estava forte. O sol havia se posto uma hora antes, mas o pistoleiro continuara a viajar, guiado pelo clarão da cidade no céu, depois pelas notas incrivelmente claras de um piano de cabaré tocando *Hey Jude.* A estrada se alargou como um rio que tivesse recebido tributários. Aqui e ali havia pontos luminosos no céu, todos estrelas há muito tempo extintas.

As florestas também há muito já tinham desaparecido, sendo substituídas por aquela monótona, árida paisagem rural: intermináveis campos desolados reduzidos a capim e pequenos arbustos; áreas estranhas e ermas guardadas por mansões sombrias e tristes, onde os demônios sem a menor dúvida caminhavam; toscas palhoças vazias de onde as pessoas tinham se mudado ou sido afastadas; uma ocasional casa de colono, revelada por um simples ponto de luz piscando no escuro ou pelos mal-humorados e consangüíneos clãs familiares labutando silenciosamente nos campos durante o dia. O milho era a principal colheita, mas também havia feijões e algumas raízes e sementes venenosas. De vez em quando, um corvo magro fitava-o com ar estúpido por entre galhos secos e descascados de amieiro. Diligências o ultrapassaram quatro vezes, duas vindo e duas indo, quase vazias quando o alcançavam por trás e ultrapassavam a ele e ao jumento, mais cheias quando voltavam para as florestas do norte. De vez em quando, um lavrador passava com os pés erguidos na prancha de seu carro de boi, tomando o cuidado de não olhar para o homem com os revólveres.

Era uma região feia. Chovera duas vezes desde que ele saíra de Pricetown, duas chuvinhas fracas. Mesmo o capim parecia amarelo, mirrado, avançando sem vida pelo campo. Não vira sinal do homem de preto. Talvez tivesse tomado uma diligência.

A estrada fez uma curva e, depois dela, o pistoleiro deteve o jumento e baixou os olhos para Tull. Ficava na base de uma várzea em forma de arco, jóia ordinária num cenário barato. Havia algumas luzes, a maior parte delas amontoada na área da música. Parecia haver quatro ruas, três correndo em ângulos retos para o caminho das diligências, que era a principal via da cidade. Talvez ali houvesse um bar. Achava difícil, mas quem sabe? Atiçou o jumento.

Agora um número maior de casas ia aparecendo aqui e ali nas margens da estrada, em geral desertas. Ultrapassou um pequeno cemitério com placas mortuárias de madeira, mofadas e abafadas pela luxuriante erva do diabo. Talvez uns 150 metros à frente, ultrapassou uma placa carcomida: TULL.

A tinta estava lascada quase ao ponto de ficar ilegível. Havia outra mais adiante, mas o pistoleiro não conseguiu de modo algum lê-la.

Um coro maluco de vozes meio chapadas foi se erguendo no último e prolongado verso de *Hey Jude* (*Naa-naa-naa naa-na-na-na... hey, Jude...*) quando ele entrou na cidade propriamente dita. Era um som morto, como o vento na cavidade de uma árvore podre. Só os prosaicos golpes e pancadas do piano de cabaré impediram-no de desconfiar seriamente que o homem de preto tivesse convocado fantasmas para habitar uma cidade abandonada. Sorriu ligeiramente com a idéia.

Havia pessoas nas ruas, mas não muitas. Três senhoras usando calças negras e o mesmo tipo de blusa de colarinho alto passaram na calçada oposta, não olhando para ele com qualquer curiosidade especial. Os rostos pareciam flutuar acima dos corpos quase invisíveis, como pálidas bolas com olhos. Um homem velho, de ar solene, com o chapéu de palha firmemente empoleirado no alto da cabeça contemplou-o da escada de um armazém com paredes de madeira. Um alfaiate magricela, atendendo ao último freguês, parou para vê-lo passar, suspendendo o lampião em sua janela para ver melhor. O pistoleiro acenou com a cabeça. Nem o alfaiate nem o freguês retribuíram o cumprimento. Pôde sentir os olhos deles parando pesadamente nos coldres pendurados abaixo de sua cintura. Um garoto de uns 13 anos e uma moça que podia ser sua irmã ou namoradinha atravessaram a rua uma quadra à frente, fazendo uma pausa quase imperceptível. Suas pisadas levantavam pequenas nuvens de poeira. Ali, no miolo, a maioria dos lampiões de rua funcionava, mas não eram elétricos; as laterais de vidro estavam embaçadas com o vapor do óleo. Algumas tinham sido quebradas. Havia um cocheiro com um olhar de expectativa, provavelmente dependendo da linha de diligências para sobreviver. Três garotos se agachavam em silêncio diante de um círculo de bolas de gude no chão de barro, ao lado da porteira escancarada do estábulo, fumando cigarros enrolados em palha de milho. Lançavam sombras compridas no terreno. Um deles tinha uma cauda de escorpião enfiada na aba do chapéu. Outro tinha um olho esquerdo inchado saltando da órbita sem enxergar.

O pistoleiro passou com o jumento por eles e deu uma espiada nas obscuras profundezas do estábulo. Um lampião brilhava fracamente. Uma sombra pulou e flutuou quando um homem velho, desengonçado, que usava um macacão, garfou um punhado de capim e, com sonoros golpes do forcado, depositou-o no palheiro.

— Ei! — gritou o pistoleiro.

O forcado vacilou e o cavalariço olhou ao redor com olhos tingidos de amarelo.

— Quem foi?

— Trouxe um jumento.

— Fez bem.

O pistoleiro jogou uma moeda de ouro mal polida, pesada, na semiescuridão. Ela bateu em tábuas velhas, cheias de lascas, e cintilou.

O cavalariço chegou mais perto, se abaixou, pegou a moeda, estreitou os olhos para o pistoleiro. Quando o olhar caiu nos cinturões dos revólveres, o homem abanou a cabeça mal-humorado.

— Quanto tempo vai querer que ele fique?

— Uma noite ou duas. Talvez mais.

— Não tenho troco para o ouro.

— Não lhe pedi.

— Dinheiro de sangue — murmurou o cavalariço.

— O que disse?

— Nada. — O cavalariço pegou a rédea do jumento e levou-o para dentro.

— Dê uma esfregada nele! — o pistoleiro pediu. — Quero sentir cheiro de limpo nele quando voltar, ouça bem!

O velho não se virou. O pistoleiro caminhou até os garotos acocorados em volta das bolas de gude. Tinham acompanhado toda a conversa com arrogante interesse.

— Longos dias e belas noites — começou o pistoleiro num tom amistoso.

Nenhuma resposta.

— Ei, caras, moram na cidade?

Nenhuma resposta, a não ser que a cauda de escorpião tenha dado uma: ela pareceu acenar.

Um dos garotos tirou da boca uma guimba de palha de milho incrivelmente melada, agarrou uma bola de gude olho-de-gato verde e disparou-a no círculo de poeira. Ela atingiu uma bolinha rã e a pôs para fora. O garoto pegou o olho-de-gato e preparou-se para atirá-lo de novo.

— Há um bar nesta cidade? — perguntou o pistoleiro.

Um deles ergueu os olhos, o mais novo. Tinha uma enorme ferida de herpes no canto da boca, mas os olhos eram ambos do mesmo tamanho e cheios de uma inocência que não duraria muito tempo naquela merda de lugar. Ele encarou o pistoleiro com espanto disfarçado, mas intenso, o que foi comovente e assustador.

— Pode conseguir um hambúrguer no Sheb's.

— O cabaré?

— É — disse o garoto. Os olhos dos colegas tinham ficado irritados e ameaçadores. Provavelmente ele ia pagar por ter sido benevolente.

O pistoleiro tocou a aba do chapéu.

— Estou agradecido. É bom saber que alguém nesta cidade tem inteligência suficiente para falar.

Continuou andando, subiu na calçada e tomou o rumo do Sheb's. Logo ouviu a voz clara, insolente, de um dos outros garotos, pouco mais que uma vozinha de criança:

— Comedor de erva! Há quanto tempo você vem comendo sua irmã, Charlie? Comedor de erva! — Ouviu então o barulho de um soco e um grito.

Havia três lampiões de querosene brilhando na frente do Sheb's, um de cada lado e um fixado sobre as duas abas embriagadas da porta. O coro de *Hey Jude* havia se esgotado e o piano martelava alguma outra velha balada. Vozes sussurravam como fios de alta tensão rompidos. O pistoleiro parou um instante do lado de fora, espiando. Chão de serragem, escarradeiras ao lado das mesas de pernas curvadas. Um balcão de madeira sobre um cavalete de serrar. Um espelho viscoso ao fundo, refletindo o pianista, que tinha uma inevitável corcunda de tocador de piano. A frente do piano fora removida para que a pessoa pudesse ver os murros para cima e para baixo das teclas de madeira enquanto a geringonça era tocada. Quem atendia era uma mulher de cabelo descolorido, que usava um vestido azul sujo. Uma das alças estava presa por um alfinete de fraldas. Havia talvez seis naturais da cidade nos fundos do salão, observando o ambiente e jogando apaticamente a bisca. Outra meia dúzia agrupava-se descontraidamente em volta do piano. Quatro ou cinco no balcão. E havia um homem velho, com cabelo desgrenhado e grisalho, caído numa mesa junto da porta. O pistoleiro entrou.

Cabeças giraram olhando para ele e seus revólveres. Houve um momento de quase silêncio, só quebrado pelo esquecido pianista que não parou de tocar. Então a mulher passou um pano no balcão e as coisas voltaram ao seu lugar.

— Bisca — disse, num canto, um dos jogadores, confrontando três cartas de copas com quatro de espadas e ficando de mão vazia. O dono das copas xingou, empurrou sua aposta e as cartas foram dadas para a próxima rodada.

O pistoleiro se aproximou da mulher atrás do balcão.

— Tem carne? — perguntou.

— Claro. — Ela o encarou e talvez tivesse sido bonita quando começou, mas o mundo não parara no tempo. Agora o rosto estava todo marcado e a cicatriz esbranquiçada da testa parecia uma rolha. Ela a cobrira com muito pó-de-arroz e o pó chamava ainda mais atenção para o que pretendia camuflar. — Bife sem gordura. Carne de primeira. Mas é caro.

Carne de primeira o cacete, pensou o pistoleiro. *O que você tem na geladeira veio de alguma coisa com três olhos, seis pernas ou tudo isso junto... é o que eu acho, dama-sai.*

— Quero três hambúrgueres e uma cerveja, está bom assim?

De novo aquela sutil agitação entrando no ar. Três hambúrgueres. Água nas bocas e línguas cheias de saliva com insinuante apetite. Três hambúrgueres. Será que alguém já vira uma pessoa comer três hambúrgueres de uma vez só?

— Vai custar cinco contas. Sabe o que são contas?

— Cinco dólares?

Ela abanou a cabeça, provavelmente estaria se referindo a *contos.* Pelo menos foi o que ele achou.

— Incluindo a cerveja? — perguntou, sorrindo um pouco. — Ou a cerveja é por fora?

— Vou dar a cerveja de graça. — Ela não retribuiu o sorriso. — Quando me mostrar a cor de seu dinheiro, é claro.

O pistoleiro pôs uma moeda de ouro no balcão e cada olho a seguiu.

Havia um lento e enfumaçado fogão a lenha atrás do balcão e à esquerda do espelho. A mulher despareceu num pequeno aposento dos fundos e voltou com a carne num papel. Tirou três bolinhos e colocou-os na chapa. O cheiro que subiu era enlouquecedor. O pistoleiro conservava um ar frio e indiferente, só perifericamente consciente do piano vacilante, do lento desenrolar do jogo de cartas, dos olhares de lado das moscas de bar.

O homem estava se aproximando por trás quando o pistoleiro o viu no espelho. Era quase careca de todo e tinha a mão fechada no cabo da gigantesca faca de caça que trazia presa no cinto, como um coldre.

— Vá sentar — disse o pistoleiro. — É um favor que fará a si próprio, trouxa!

O homem parou. Seu lábio superior se ergueu involuntariamente, como o de um cachorro, e houve um momento de silêncio. Então ele voltou à sua mesa e a atmosfera tornou a se agitar. A cerveja veio num copo grande, meio rachado.

— Não tenho troco para ouro — disse truculentamente a mulher.

— Não quero nenhum.

Ela assentiu com ar irritado, como se esta demonstração de riqueza, mesmo que em seu benefício, a deixasse com raiva. Mas pegou o ouro e, pouco depois, chegaram os hambúrgueres num prato engordurado, ainda vermelho nas beiradas.

— Tem sal?

A mulher passou-lhe uma tigelinha que tirou da parte de baixo do balcão, torrões brancos que ele teria de esfarelar com os dedos.

— Pão?

— Não há pão.

Sabia que a mulher estava mentindo, mas também sabia por quê e não insistiu. O careca o fitava com olhos turvos, as mãos abrindo e fechando na superfície arranhada, lascada da mesa. A narinas brilhavam com pulsante regularidade, captando o cheiro da carne. Pelo menos o cheiro era grátis.

O pistoleiro começou a comer com determinação, aparentemente sem saborear, meramente retalhando a carne e espetando-a na boca, tentando não imaginar o aspecto da vaca de onde aquilo fora tirado. Carne de primeira, ela dissera. Claro, sem nenhuma dúvida! Verossímil como porcos dançando a polca e conversa de camelô.

Estava quase satisfeito, pronto para pedir outra cerveja e enrolar um cigarro, quando a mão caiu em seu ombro.

De repente tomou consciência de que o salão mais uma vez ficara em silêncio e captou a tensão no ar. Virou-se e encarou o rosto do homem que estava dormindo ao lado da porta quando ele entrou. Um rosto terrível. O odor da erva do diabo era um péssimo miasma. Os olhos pareciam possessos, olhos fixos e brilhantes de alguém que vê mas não vê, olhos voltados para dentro, para o estéril inferno dos sonhos fora de controle, sonhos desatrelados, saídos dos pântanos fedorentos do inconsciente.

A mulher atrás do balcão soltou um pequeno gemido.

Os lábios rachados se retorceram, subiram no rosto do homem, revelando dentes verdes, musguentos. O pistoleiro pensou: *Ele nem está mais fumando. Está mascando. Está realmente* mascando *a erva.*

E no encalço disso: *É um homem morto. Deveria ter sido morto há um ano.*

E de novo no encalço: *O homem de preto fez isto.*

Um encarava o outro, o pistoleiro e o homem que atingira as raias da loucura.

O homem falou e o pistoleiro, atônito, ouviu o homem tratá-lo na Fala Superior de Gilead.

— O ouro por um favor, pistoleiro-*sai*. Só uma moeda? Por uma graça.

A Fala Superior. Por um instante, sua mente se recusou a acompanhá-la. Já tinham se passado anos — Deus! — séculos, milênios; não existia mais Fala Superior; ele era o último, o último pistoleiro. Os outros estavam todos...

Dormente, remexeu no bolso interno da jaqueta e tirou de lá uma moeda de ouro. A mão escamosa, esfolada, gangrenosa esticou-se para ela, afagou-a, levantou-a para que refletisse o clarão oleoso dos lampiões a querosene. A moeda emitiu seu orgulhoso brilho civilizado — dourado, avermelhado, sanguinário.

— *Ahhhhhh...* — Um inarticulado som de prazer. O velho deu uma meia-volta oscilante e começou a voltar à sua mesa, segurando a moeda no nível do olho, virando-a, fazendo-a brilhar.

O salão se esvaziava depressa, as portas de vaivém iam e vinham freneticamente para um lado e outro. O pianista arriou a tampa do instrumento com uma pancada e saiu depois dos outros com passadas longas, como no palco de uma ópera cômica.

— Sheb! — a mulher gritou atrás dele, uma estranha mistura de medo e de mau gênio na voz. — Sheb, volte aqui! Safado! — O pistoleiro já teria ouvido antes aquele nome? Achava que sim, mas não havia tempo para refletir sobre aquilo ou para lançar a mente no passado.

Nesse ínterim, o velho voltara à sua mesa. Agora fazia a moeda de ouro rodar entre os veios da madeira e seus olhos de morto-vivo a seguiam com ávido fascínio. Fez a moeda rodar uma segunda vez, uma terceira e suas pálpebras caíram. Uma quarta vez e a cabeça descansou na madeira antes que a moeda parasse.

— Está vendo — disse a mulher num tom baixo, furioso. — Afugentou minha freguesia. Está satisfeito?

— Vão voltar — disse o pistoleiro.

— Não, esta noite não.

— Quem é ele? — Ele fez um gesto para o comedor de erva.

— Vá se foder. *Sai.*

— Tenho de saber — disse o pistoleiro num tom paciente. — Ele...

— Falou engraçado com você — disse a mulher. — Nort nunca falou assim em toda a sua vida.

— Estou procurando um homem. Talvez o conheça.

Ela o encarou, a raiva cedendo. Substituída pela especulação, depois pela forte, inebriante tensão que ele já vira antes. O temperamento irritável voltava-se silenciosamente contra si mesmo. Um cachorro latia com força, bem longe. O pistoleiro esperou. Ela percebeu que ele compreendia e a tensão foi substituída pelo desespero, por uma silenciosa necessidade que não tinha boca.

— Acho que talvez conheça meu preço — disse ela. — Tenho uma coceira de que antes conseguia cuidar, mas agora não.

Ele a olhou com firmeza. A cicatriz não apareceria no escuro e o corpo não era magro demais. Como se a solidão, os berros e o trabalho duro não tivessem chegado a mexer em tudo. E já fora graciosa, talvez até bonita. Não que isso importasse. Não importaria se os vermes dos túmulos já tivessem feito ninho na estéril escuridão de seu útero. Tudo isso fora escrito. Em algum lugar a mão de alguém depositara tudo no livro do *ka*.

As mãos dela subiram para o rosto e alguma seiva ainda restava ali — o bastante para que chorasse.

— Não *olhe!* Não precisa me olhar assim!

— Sinto muito — disse o pistoleiro. — Não pretendia ser indiscreto.

— Nenhum de vocês pretende nada! — ela gritou.

— Feche isto aqui e apague as luzes.

A mulher chorava, as mãos no rosto. Ele achava bom que mantivesse as mãos no rosto. Não por causa da cicatriz, mas porque isto a devolvia ao seu tempo de moça, se não ao tempo de virgem. O alfinete que segurava a alça do vestido cintilou na luz gordurosa.

— Ele vai roubar alguma coisa? Se for, posso tirá-lo daqui.

— Não — ela murmurou. — Nort não rouba.

— Então apague as luzes.

A mulher só afastou as mãos quando se viu por trás dele e apagou os lampiões um por um, baixando os pavios e levando as chamas à extinção. Depois segurou sua mão no escuro e a mão estava quente. Conduziu-o para o andar de cima. Não houve luz sobre o ato dos dois.

6

Ele enrolou cigarros no escuro, depois acendeu-os e deu um à mulher. O quarto conservava seu perfume, lilases doces, patético. O cheiro do deserto se misturara com ele. O pistoleiro percebeu que estava com medo do deserto que tinha pela frente.

— Seu nome é Nort — disse ela. A voz não revelava agora qualquer aspereza. — Apenas Nort. Ele morreu.

O pistoleiro esperou.

— Foi tocado por Deus.

— Jamais O vi — disse o pistoleiro.

— Está aqui desde que conheço este lugar... Quero dizer Nort, não Deus. — O riso entrecortado soou no escuro. — Teve uma carroça de mel durante algum tempo. Começou a beber. Começou a cheirar a erva. Depois a fumá-la. As crianças começaram a segui-lo por toda parte e atiçavam os cachorros contra ele. Nort usava uma velha calça verde que fedia. Está entendendo?

— Sim.

— Começou a mascá-la. Por fim, apenas se sentava aqui dentro e não comia nada. Em sua imaginação, podia estar sendo um rei. As crianças seriam os bufões e os cachorros, príncipes.

— Sim.

— Morreu bem na frente deste lugar — disse ela. — Veio marchando pela calçada... tinha botas que não gastavam, botas de engenheiro que encontrou no velho pátio ferroviário... veio marchando com as crianças e os cachorros atrás. Ele tinha uma aparência de roupa na corda, toda enrolada e torcida uma na outra. Dava para ver todas as luzes do inferno nos olhos dele, mas ele estava sorrindo, exatamente como aqueles sorrisos que as crianças botam nas morangas e abóboras dizendo ei, venha me pegar! Você podia sentir o cheiro da sujeira, da podridão, da erva. Ela escorria pelos cantos de sua boca como um sangue verde. Acho que estava vindo para ouvir o Sheb tocar piano. E, bem aí na frente, ele parou e empinou a cabeça. Pude vê-lo bem, e ele se virou como se tivesse ouvido uma diligência, embora ninguém esperasse uma. Aí vomitou, e foi uma coisa preta, cheia de sangue. Saindo direto por aquele sorriso como água de esgoto por uma grade. O fedor era tão forte que você tinha vontade de sair correndo. Ele ergueu os braços e simplesmente caiu para frente. Isso foi tudo. Morreu no próprio vômito com aquele sorriso na cara.

— Uma bela história.

— Oh, sim, obrigada-*sai*. E este é um belo lugar.

Estava tremendo ao lado dele. Lá fora, o vento era um lamento firme e, em algum lugar, ao longe, havia uma porta batendo, como um som ouvido num sonho. Camundongos corriam pelas paredes. No fundo de sua mente, o pistoleiro achou que seria provavelmente o único lugar da cidade suficientemente próspero para alimentar camundongos. Pôs a mão na barriga da mulher e ela estremeceu violentamente, depois relaxou.

— E o homem de preto — disse ele.

— Tem de pegá-lo, não é? Não podia simplesmente trepar comigo e ir dormir.

— Tenho de pegá-lo.

— Está bem. Vou contar. — Agarrou com as duas mãos a mão dele e contou.

7

Ele chegou no final da tarde do dia em que Nort morreu, quando o vento ululava puxando a terra na camada superior do solo, pondo camadas de brita e hastes arrancadas de milho em redemoinho. Jubal Kennerly fechara o estábulo a cadeado e os outros poucos negociantes haviam arriado as persianas das janelas e posto trancas diante delas. O céu tinha o tom amarelado de queijo velho e as nuvens corriam por ele, como se tivessem visto alguma coisa de horrível nas vastidões do deserto por onde tão recentemente haviam passado.

O homem que seria caçado pelo pistoleiro chegou numa carroça frágil, coberta por uma lona enrugada. Havia um grande sorriso de como-vai-você em seu rosto. Viram-no chegar. Encostado na janela, com uma garrafa numa das mãos e a carne quente e solta do seio esquerdo de sua segunda filha na outra, o velho Kennerly decidiu não responder se ele batesse.

Mas o homem de preto passou sem diminuir a marcha do cavalo baio que puxava a carroça, o giro das rodas borrifando uma poeira de que o vento se apoderava avidamente. Podia ser tomado por padre ou monge; usava uma túnica preta que vinha salpicada de pó e um capuz de tecido cobria sua cabeça e lhe obscurecia as feições, embora não aquele horrendo sorriso de felicidade. A túnica ondulava e batia no vento. Debaixo da bainha do traje despontavam pesadas botas de fivela com bicos quadrados.

Parou na frente do Sheb's e amarrou o cavalo, que baixou o focinho e roncou para o chão. Contornando a carroça, soltou uma ponta da lona, encontrou um alforje surrado, jogou-o no ombro e atravessou as portas de vaivém.

Alice olhou curiosa, embora ninguém mais tenha notado sua chegada. Os fregueses habituais estavam bêbados de cair. Sheb tocava hinos metodistas em ritmo de *ragtime*, e os sombrios freqüentadores que tinham chegado cedo para evitar a tempestade e assistir ao velório de Nort já haviam ficado roucos de tanto cantar. Sheb, embriagado quase ao ponto da inconsciência, intoxicado e desanimado com a continuidade de sua própria existência, tocava num ritmo ardente, febril, os dedos voando como passarinhos.

Vozes se alteravam, gritavam, jamais superando o vento, mas às vezes parecendo desafiá-lo. No canto do salão, Zachary tinha levantado as saias de Amy Feldon até a cabeça e fazia os dedos correrem em torno dos joelhos dela. Algumas outras mulheres circulavam. Parecia haver uma febre em todos. O brilho mortiço do relâmpago que se filtrou pelas portas de vaivém pareceu, no entanto, estar zombando deles.

Nort fora estendido em duas mesas no centro do salão. Suas botas de engenheiro formavam um místico V. A boca pendia aberta num sorriso frouxo, embora alguém lhe tivesse fechado os olhos e posto moedas neles. As mãos haviam sido cruzadas sobre o peito, segurando um ramo de erva do diabo. Que cheirava como veneno.

O homem de preto puxou o capuz para trás e se aproximou do balcão. Alice o fitou, sentindo somar-se uma trepidação ao familiar desejo que se escondia dentro dela. Não havia qualquer símbolo religioso no homem, embora, por si só, isso nada significasse.

— Uísque — disse ele. A voz era baixa e agradável. — Quero do bom, querida.

Ela pôs a mão sob o balcão e puxou uma garrafa de Star. Poderia ter lhe empurrado a aguardente local como o que tinha de melhor, mas não o fez. Serviu a bebida e o homem de preto a contemplava. Tinha olhos grandes, luminosos. As sombras eram espessas demais para revelar exatamente a cor. A ânsia de Alice se intensificava. Os gritos e o alvoroço continuavam em segundo plano, imperturbáveis. Sheb, o inútil castrado, tocava alguma coisa sobre os Soldados Cristãos, e alguém persuadira tia Mill a cantar. A voz dela, desafinada e tortuosa, cortava a algazarra como um machado cego cortaria o cérebro de um bezerro.

— Ei, Allie!

Foi atender, ressentida do silêncio do estranho, ressentida daqueles olhos sem cor e de seu próprio e agitado ventre. Tinha medo de seus desejos. Estavam caprichosos e saindo de controle. Podiam estar indicando alguma mudança, que por sua vez indicaria o início da velhice — uma condição que, em Tull, era geralmente tão curta e triste quanto um crepúsculo de inverno.

Ela encheu mais um copo até esvaziar a pequena barrica; logo abriria outra. Sabia que não adiantava pedir ao Sheb; ele viria de muito bom grado, como o cão que era, baixando a tampa do piano em seus próprios dedos ou vomitando cerveja por todo lado. Virou-se e os olhos do estranho estavam parados nela; podia senti-los.

— Está movimentado — disse o homem de preto ao vê-la de volta. Não tocara na bebida, se limitara a fazer o copo rolar entre as palmas das mãos, para aquecê-lo.

— É um velório — disse ela.

— Reparei no falecido.

— São moleques — disse Allie com repentino rancor. — Todos moleques.

— Isso os excita. O falecido está morto. Eles não.

— Foi o palhaço deles quando estava vivo. Não é justo que continue como palhaço agora. Era... — Deixou a frase morrer, incapaz de expressar o que era, ou como a coisa era obscena.

— Era um comedor de ervas?

— Sim! O que mais podia fazer?

O tom era acusador, mas o homem de preto não baixou os olhos e ela sentiu o sangue afluindo para o rosto.

— Desculpe. Você é pastor? Isto deve revoltá-lo.

— Não sou pastor e não me revolta. — Tragou o uísque de uma só vez e não houve careta. — Mais um, por favor. Mais um no capricho, como dizem no mundo além daqui.

Ela não fazia idéia do que aquilo poderia significar e teve medo de perguntar.

— Primeiro tenho de ver a cor do seu dinheiro. Sinto muito.

— Não precisa sentir.

O homem de preto pôs uma tosca moeda de prata no balcão, grossa numa das pontas, fina na outra, e ela repetiu o que já tinha dito antes:

— Não tenho troco.

Ele balançou a cabeça, dispensando o assunto. Parecia distraído quando ela o serviu de novo.

— Está só de passagem? — Allie perguntou.

O homem de preto demorou bastante para responder, mas, quando Allie ia repetir, ele balançou a cabeça com impaciência:

— Não fale de coisas triviais. Está com a morte aqui.

Ela se calou ofendida e espantada; seu primeiro pensamento foi que o homem mentira sobre sua santidade para testá-la.

— Tem pena — ele disse em voz baixa. — Não é verdade?

— Pena de quem? De Nort? — Ela riu, externando irritação para disfarçar a confusão. — Acho que é melhor você...

— Tem o coração mole e está um pouco assustada — ele continuou — e Nort estava parado na erva, na porta de trás do inferno. E ali está ele, agora até esta porta lhe foi batida e você acha que só tornarão a abri-la quando for a sua hora de atravessá-la, não é isso?

— O que há com você, está bêbado?

— O senhor Norton é *finado* — entoou o homem de preto, dando às palavras uma pequena inflexão irônica. — Morto como qualquer um. Morto como você ou qualquer um.

— Saia do meu bar. — Allie sentiu uma raiva vibrante brotar dentro dela, mas o fervor ainda se irradiava do ventre.

— Tudo bem — ele disse, macio. — Tudo bem. Espere. Só espere.

Os olhos eram azuis. De repente, ela se sentiu inteiramente à vontade, como se tivesse tomado uma droga.

— Morto como qualquer um — disse ele. — Compreende?

A mulher abanou silenciosamente a cabeça, e o homem de preto deu uma risada alta — uma boa, forte, franca risada que fez cabeças se mexerem ao redor. Ele se virou para encará-los, convertido subitamente no centro das atenções. Tia Mill fraquejou e se calou, deixando as fraturas da última nota sangrando alto no ar. Sheb produziu uma dissonância e parou. Olharam apreensivos para o estranho. A areia roçava contra as paredes do prédio.

O silêncio se prolongou, rodando em torno de si mesmo. A respiração de Allie ficara bloqueada na garganta e, ao olhar para baixo, ela viu suas duas mãos apertando a barriga atrás do balcão. Todos o olhavam e ele os olhava. Então o riso explodiu de novo, forte, exuberante, impossível de ser ignorado. Mas as pessoas não tiveram o ímpeto de rir junto com ele.

— Vou lhes mostrar um prodígio! — o homem gritou. As pessoas só o olhavam, como crianças obedientes levadas para ver um mágico, mas que já estivessem grandes demais para acreditar nele.

O homem de preto avançou e tia Mill tentou recuar. Sorrindo febrilmente, ele deu uns tapinhas na vasta barriga de Mill. Um breve, involuntário cacarejo escapou da tia, e o homem de preto girou a cabeça para trás.

— Ficou melhor, não foi?

Tia Mill tornou a cacarejar, mas de repente irrompeu em soluços e fugiu freneticamente pelas portas de vaivém. Os demais a viram partir em silêncio. A tempestade estava começando; as sombras se seguiam uma à outra, subindo e descendo na brancura do fundo infinito do céu. Perto do piano, um homem com a cerveja esquecida numa das mãos deixou escapar um barulho de gemido, de suspiro.

O homem de preto parou ao lado de Nort, baixando seu sorriso para ele. O vento uivava, gritava, arranhava. Algo grande atingiu a lateral do prédio com força suficiente para fazê-lo estremecer e estalar. Um dos homens que estavam no balcão se desgrudou de lá e, movendo-se em passos grotescamente largos, foi para local mais tranqüilo. O trovão cortava o céu com o barulho de um deus tossindo.

— *Está bem!* — disse o homem de preto mostrando os dentes. — Está bem, vamos prestar atenção *nisto!*

Começou a cuspir na cara de Nort, mirando cuidadosamente. As cuspidas brilhavam na testa do cadáver, escorrendo em gotas pela ponta lisa do nariz.

Sob o balcão, as mãos de Allie trabalhavam mais depressa.

Sheb riu com ar estúpido e se curvou. Começou a tossir catarro, enormes e pegajosas bagas que deixava voar. O homem de preto deu um grunhido de aprovação e um tapa nas costas dele. Sheb sorriu, o dente de ouro cintilando.

Alguns fugiram. Outros se agruparam num círculo descontraído em torno de Nort, cujo rosto, pés de galinha, dobras do pescoço e do alto do peito brilhavam com o cuspe líquido — líquido tão precioso naquela região seca. E de repente a chuva de cuspe parou, como se obedecendo a algum sinal. Houve uma respiração pesada, áspera.

Então o homem de preto pulou sobre o corpo, dobrando-se ao meio num arco suave. Foi lindo, como um esguicho de água. Ele aterrissou se apoiando nas mãos, ficou em pé numa rápida guinada, sorrindo, e repetiu aquilo. Perdendo o controle, um dos espectadores começou a aplaudir, mas logo recuou, os olhos vidrados de terror. O sujeito esfregou a mão na boca e se dirigiu para a saída.

Nort se contorceu da terceira vez que o homem de preto pulou.

Um som envolveu os espectadores — um grunhido — e todos fizeram silêncio. O homem de preto atirou a cabeça para trás e uivou. Seu peito se moveu num movimento rápido, pouco profundo, quando ele sugou o ar. Começou a pular de um lado para o outro num ritmo mais rápido, jogando-se sobre o corpo de Nort como água derramada de um copo para outro e depois de novo. O único barulho no salão era a raspagem áspera de sua respiração e o pulsar crescente do temporal.

Chegou então a hora em que Nort puxou um profundo e seco sopro de ar. As mãos chocalharam, bateram descontroladas na mesa. Sheb gritou e saiu. Uma das mulheres foi atrás, os olhos arregalados e a capa ondulando.

O homem de preto pulou mais uma vez, duas, três. Agora o corpo na mesa estava vibrando, tremendo, debatendo-se, crispando-se como um boneco grande sem nenhuma vida real, mas com um monstruoso mecanismo de corda por dentro. O cheiro de podridão, excrementos e corrupção brotava em ondas asfixiantes. Chegou então o momento em que os olhos se abriram.

Allie sentiu os pés dormentes e insensíveis, puxando-a para trás. Bateu no espelho, fazendo com que se quebrasse, e um pânico cego tomou conta dela. Allie pulou como um touro jovem.

— Então aqui está o prodígio — gritou o homem de preto atrás dela, ofegante. — Quero dedicá-lo a você. Mas pode dormir tranqüila. Mesmo *isso* não é irreversível. Embora seja... tão... incrivelmente... *engraçado!* — E novamente começou a rir. O barulho do riso diminuiu quando Allie atingiu o alto da escada, mas só parou quando a porta que levava aos três cômodos em cima do bar foi trancada.

Então foi ela quem começou a rir com a boca fechada, pulando de um pé para o outro diante da porta. O riso reprimido se transformou num lamento agudo que se misturou com o vento. Ela continuava escutando o barulho que Nort fizera ao retornar à vida — como o som de punhos batendo freneticamente na tampa de um caixão. Que pensamentos, ela se perguntou, poderiam restar naquele cérebro reanimado? O que Nort tinha visto enquanto estava morto? Do que se lembrava? Iria contar? Estariam os segredos do túmulo esperando lá embaixo? A coisa mais terrível sobre tais perguntas, ela admitiu, era que uma parte da pessoa queria realmente fazê-las.

Imaginou Nort no salão, vagando com ar ausente para a tempestade. Para pegar um pouco de erva. O homem de preto, agora o único senhor do bar, talvez o estivesse vendo sair, talvez ainda sorrisse.

Naquela noite, quando ela se obrigou a descer carregando um lampião numa das mãos e um pesado atiçador de lenha na outra, o homem de preto tinha ido embora, com carroça e tudo. Mas Nort estava lá, sentado na mesa ao lado da porta como se nunca tivesse estado em outro lugar. O cheiro da erva estava nele, mas não tão forte quanto ela podia ter esperado.

Nort ergueu os olhos e sorriu sondando o terreno.

— Como vai, Allie?

— Como vai, Nort? — Pousou o atiçador e começou a acender os lampiões, mas sem ficar de costas para ele.

— Fui tocado por Deus — disse Nort pouco depois. — Não vou mais morrer. Foi o que ele disse. Foi uma promessa.

— Que bom para você, Nort. — O fósforo que ela estava segurando caiu entre seus dedos trêmulos, mas ela o pegou.

— Queria parar de mascar a erva — disse Nort. — Não gosto mais dela. Não parece certo um homem tocado por Deus ficar mascando a erva.

— Então, por que não pára?

Apesar da exasperação, conseguia agora olhá-lo de novo como um homem, não como algum milagre infernal. O que via era um exemplar de ar meio triste, não muito esbranquiçado, parecendo um tanto desprezível e envergonhado. Ela não conseguia mais se sentir assustada.

— Tremo — disse ele. — E quero a erva. Não consigo parar. Allie, você sempre foi boa comigo... — Começou a chorar. — Nem consigo parar de mijar nas calças. O que eu sou? *O que eu sou?*

Allie foi até a mesa e parou, incerta.

— Ele poderia ter feito com que eu não quisesse mais — disse Nort por entre as lágrimas. — Se pôde me fazer ficar vivo, também poderia ter feito isso. Não estou me queixando... Não quero me queixar... — Olhou meio assombrado em volta e sussurrou: — O homem pode me matar se eu me queixar.

— Talvez ele só esteja brincando. Parece que tem muito senso de humor.

Nort tirou uma bolsinha de dentro da camisa, onde estava pendurada, e mostrou um punhado de erva. Num gesto impensado, ela derrubou a bolsa no chão, mas logo encolheu a mão, horrorizada.

— Não posso evitar, Allie, não posso — e Nort executou um mergulho tortuoso para apanhar a bolsa. Ela podia tê-lo impedido, mas nada fez. Continuou a acender os lampiões, cansada, embora a noite mal tivesse começado. Ninguém veio naquela noite, exceto o velho Kennerly, que perdera tudo que ali se passara. Mas não pareceu particularmente surpreso ao se encontrar com Nort. Talvez alguém tivesse lhe contado o que acontecera. Pediu cerveja, perguntou onde estava Sheb e agarrou-se a Allie.

Mais tarde, Nort aproximou-se dela e estendeu um pedaço de papel dobrado. A mão sem-direito-a-estar-viva tremia.

— Ele deixou isto para você — disse. — Quase esqueci. Se esquecesse, com certeza ele voltaria para me matar.

Papel era valioso, um artigo sem dúvida para ser guardado com cuidado, mas ela não gostou de tocar naquele. Parecia grosseiro, sujo. Havia uma única palavra escrita:

Allie

— Como ele sabia meu nome? — ela perguntou a Nort, e Nort só balançou a cabeça.

Ela abriu o papel e leu:

Você quer saber sobre a Morte. Deixei-lhe uma palavra. Essa palavra é DEZENOVE. Se a disser ao Nort, a mente dele se abrirá. Ele vai contar o que existe além. Vai contar o que viu.

A palavra é DEZENOVE.

Saber vai enlouquecê-la.

Só que mais cedo ou mais tarde você vai perguntar.

Não será capaz de evitar.

Tenha um bom dia! ☺

Walter das Sombras

P.S.: A palavra é DEZENOVE.

Você vai tentar esquecer, mas mais cedo ou mais tarde ela vai sair como vômito de sua boca.

DEZENOVE.

E, ó querido Deus, ela sabia que isso ia acontecer. Já tremia em seus lábios. *Dezenove*, ela ia dizer... *Nort, escute: Dezenove.* E os segredos da Morte e da terra do além se abririam para ela.

Mais cedo ou mais tarde você vai perguntar.

As coisas do dia seguinte foram quase normais, embora nenhuma das crianças tenha seguido Nort. No dia que veio depois, as palhaçadas voltaram. A vida retomara seu próprio e suave equilíbrio. O milho arrancado foi reunido pelas crianças e, uma semana após a ressurreição de Nort, elas o queimaram no meio da rua. O fogo foi momentaneamente radiante e a maioria dos beberrões do bar saíram andando ou cambaleando para ver. Pareciam primitivos. Os rostos pareciam flutuar entre as chamas e o brilho de gelo seco do céu. Allie os contemplava e sentiu a pontada de um momento de desespero pela triste época vivida por aquele mundo. A perda. As coisas tinham sido puxadas até quebrar. Não havia mais cola no centro. Em algum lugar algo oscilava e, quando caísse, tudo ia acabar. Ela nunca tinha visto o oceano, e nunca veria.

— Se eu tivesse *coragem* — ela murmurou. — Se tivesse coragem, coragem, *coragem*...

Nort ergueu a cabeça ao som de sua voz e sorriu vaziamente do inferno. Ela não tinha coragem. Só um bar e uma cicatriz. E uma palavra. Que lutava atrás de seus lábios fechados. E se ela agora o chamasse, o puxasse para perto apesar do mau cheiro? E se dissesse a palavra no buraco de inseto cheio de cera que ele chamava de ouvido? Os olhos dele iriam se alterar. Iriam se transformar nos olhos *do outro* — aqueles do homem da túnica. E então Nort contaria o que tinha visto no Reino da Morte, o que jazia além da terra e das minhocas.

Nunca lhe direi essa palavra.

Mas o homem que tinha trazido Nort de volta à vida e deixado um bilhete — deixado uma palavra como uma pistola engatilhada que ela um dia levaria à testa — sabia o que ia acontecer.

Dezenove abriria o segredo.

Dezenove *era* o segredo.

Quando percebeu estava escrevendo-a numa poça no balcão — 19 — e a apagou quando viu que estava sendo observada por Nort.

A agitação logo passou e os fregueses voltaram a entrar. Ela começou a se servir do Star Whiskey e, por volta da meia-noite, estava completamente embriagada.

8

Interrompeu a narrativa, e quando o pistoleiro não fez um comentário imediato, acreditou, por um instante, que a história o fizera dormir. Já começava também a cochilar quando ele perguntou:

— É só isso?

— Sim. É só. Está muito tarde.

— Hum. — Ele estava enrolando outro cigarro.

— Não deixe cair cinza de cigarro na minha cama — disse ela, mais áspera do que pretendia.

— Não.

Silêncio de novo. O brilho na ponta do cigarro aumentava e diminuía.

— Você vai embora de manhã — ela disse estupidamente.

— Devo ir. Acho que ele deixou uma armadilha para mim aqui. Assim como deixou uma para você.

— Acha realmente que esse número poderia...

— Se tem amor à sua sanidade, jamais pense em pronunciar a palavra na frente de Nort — disse o pistoleiro. — Tire-a da cabeça. Se puder, ensine a si mesma que o número que vem depois de 18 é 20. Que metade de 38 é 17. O homem que assinou Walter das Sombras é um monte de coisas, mas mentiroso não é uma delas.

— Mas...

— Quando tiver o impulso violento de dizer, suba para cá, se esconda embaixo do edredom e fique repetindo a palavra... gritando a palavra, se achar melhor... até que o impulso passe.

— Mas um dia ele não vai passar.

O pistoleiro não deu resposta, pois sabia que era verdade. A armadilha tinha uma horripilante perfeição. Se alguém dissesse que você ia para o inferno se pensasse em ver sua mãe nua (um dia, quando ele era muito jovem, tinham dito exatamente isto ao pistoleiro), você acabaria tendo esse pensamento. E sabe por quê? Porque você *não* queria imaginar sua mãe nua. Porque você *não* queria ir para o inferno. Porque se damos uma faca e a mão para segurá-la, a mente acaba sendo tentada. Não porque queira; porque *não* quer.

Mais cedo ou mais tarde, Allie se aproximaria de Nort e diria a palavra.

— Não vá — disse ela.

— Quem sabe.

O pistoleiro se virou para o outro lado, mas ela se sentiu aliviada. Ia ficar, ao menos mais um pouco. Ela cochilou.

No limiar do sono, tornou a pensar no modo como ele havia pronunciado o nome de Nort naquela estranha conversa. Foi a única vez em que vira seu estranho e novo amante expressar emoção. Mesmo o sexo foi silencioso e só no final a respiração dele ficara mais pesada, o que durou um ou dois segundos. Era como se o pistoleiro tivesse saído de algum conto de fadas ou mito e fosse uma criatura fabulosa, perigosa. Podia se permitir desejos? Achava que a resposta era sim, e que ela contribuíra para isso. O homem ficaria um pouco. O que era alegria suficiente para uma infeliz puta de rosto marcado como ela. Amanhã haveria tempo bastante para pensar numa segunda, numa terceira. Dormiu.

9

De manhã, preparou-lhe cereais, que ele comeu sem comentários. Devorou-os sem pensar nela, praticamente sem vê-la. Sabia que deveria ir. A cada minuto que se demorasse, o homem de preto ficava mais distante — provavelmente já estaria além da terra dura e da área dos arroios, entrando no deserto. Seu caminho seguira invariavelmente para sudeste e o pistoleiro sabia por quê.

— Tem um mapa? — perguntou, erguendo a cabeça.

— Da cidade? — ela riu. — Não há muita cidade para ser preciso um mapa.

— Não, do que está a sudeste daqui.

O sorriso dela sumiu.

— O deserto. Só o deserto. Achei que você fosse se demorar mais um pouco.

— O que há do outro lado do deserto?

— Como eu poderia saber? Ninguém o atravessou. Ninguém tentou desde que me vi neste lugar. — Enxugou as mãos no avental, puxou os pegadores de panela e mergulhou na pia a vasilha de água que estivera esquentando. A panela borrifou e soltou vapor. — Todas as nuvens seguem aquele caminho. Como se alguma coisa as aspirasse...

Ele se levantou.

— Para onde você vai? — Allie ouviu a estridência de medo na própria voz e detestou isso.

— Para o estábulo. Se alguém sabe, é o cavalariço. — Pôs as mãos nos ombros dela. As mãos eram pesadas, mas também eram quentes. — E vou ver como está meu jumento. Se vou me demorar aqui, alguém deve cuidar dele. Para quando eu partir.

Mas não já. Ela ergueu a cabeça.

— Fale mesmo com esse tal de Kennerly. Quando Kennerly não sabe de uma coisa, ele a inventa.

— Obrigado, Allie.

Quando ele saiu, Allie se virou para a pia, sentindo o fluxo quente, impetuoso, de lágrimas comovidas. Qual fora a última vez que alguém lhe agradecera? Alguém que importasse?

10

Kennerly era um velho debochado, desagradável, sem dentes, que enterrara duas esposas e era atormentado pelas filhas. Duas delas, mais ou menos crescidas, espreitavam o pistoleiro das sombras poeirentas do estábulo. Um bebê ria feliz na sujeira. Uma moça loura, suja e sensual espiava com especulativa curiosidade enquanto puxava água na bomba que gemia ao lado da construção. Quando captou o olho do pistoleiro, beliscou os mamilos entre os dedos, deu uma piscada e voltou a bombear.

O cavalariço foi encontrá-lo na rua, a caminho da porta do estábulo. Seu jeito oscilava entre uma espécie de odiosa hostilidade e tímida amabilidade.

— Está sendo bem cuidado, tenha absoluta certeza — disse Kennerly e, antes que o pistoleiro pudesse responder, virou-se para a filha com o punho erguido, como um desesperado galo magrela. — Entre já, Soobie! Entre já neste minuto!

Mal-humorada, Soobie começou a arrastar seu balde para o casebre anexo ao estábulo.

— Estava falando de meu jumento — disse o pistoleiro.

— Sim, *sai.* Há muito tempo não via um jumento, especialmente um de primeira como o seu... dois olhos, quatro patas... — Seu rosto se contraiu de modo alarmante; a expressão sugerindo uma dor extrema ou a idéia de que uma piada fora feita. O pistoleiro presumiu que a segunda hipótese era a certa, embora seu senso de humor fosse pequeno ou nulo.

— Antigamente andavam soltos e eram de quem os pegasse — Kennerly prosseguiu —, mas o mundo seguiu adiante. Há muito os únicos animais que vejo são alguns bois de pé duro, cavalos de diligência e... Soobie, vou lhe dar uma surra, juro por Deus!

— Eu não mordo — disse o pistoleiro num tom divertido.

Kennerly se agachou e sorriu. O pistoleiro viu bem claramente o assassino nos olhos dele e, embora não temesse a imagem, marcou-a como se pode marcar a página de um livro, alguma página que contenha instruções potencialmente valiosas.

— O problema não é *você.* Deus, não, não é *você.* — O cavalariço esboçou um sorriso. — Ela é naturalmente estúpida. Tem um demônio. É selvagem. — Seus olhos se escureceram. — E estão vindo os Últimos Tempos, cavalheiro. Você sabe o que diz no Livro. As crianças não obedecerão aos pais e uma praga será lançada contra as multidões. Só tem de ouvir a pregadora para saber disso.

O pistoleiro abanou a cabeça, depois apontou para sudeste.

— O que existe lá embaixo?

Kennerly sorriu de novo, mostrando a goma de mascar e a cordialidade de uns poucos dentes amarelos.

— Pessoas morando. Erva. Deserto. O que mais haveria? — Deu uma gargalhada e seus olhos avaliaram friamente o pistoleiro.

— Até que ponto é grande o deserto?

— É grande. — Kennerly procurava parecer sério, como se estivesse respondendo a uma pergunta séria. — Talvez mil rodas. Talvez duas mil. Não posso dizer, cavalheiro. Mas não há nada lá além de erva do diabo e talvez demônios. Ouvi dizer que havia gente falante nalgum lugar do outro lado, mas isso provavelmente é mentira. Foi o caminho que o outro sujeito tomou. Aquele que endireitou Nort quando ele esteve doente.

— Doente? Soube que esteve morto.

— Bem, bem. — Kennerly continuou sorrindo. — Talvez. Mas somos homens adultos, não somos?

— Mas você acredita em demônios.

— Isso é muito diferente. — Kennerly parecia afrontado. — A pregadora diz...

Ele iniciou um confuso palavrório que pareceu tomar cada vez mais impulso. O pistoleiro tirou o chapéu e enxugou a testa. O sol estava quente, batendo firme. Kennerly parecia não reparar. Kennerly tinha muitas coisas a dizer, nenhuma delas sensata. Na sombra rala do estábulo, o bebê lambuzava o rosto de terra com uma expressão séria.

O pistoleiro finalmente ficou impaciente e interrompeu o homem no meio do dilúvio.

— Não sabe o que há depois do deserto?

— Talvez alguém saiba. — Kennerly deu de ombros. — Há 50 anos a diligência atravessava parte da coisa. Meu pai contava. Eram montanhas, ele costumava dizer. Outros dizem que é um oceano... Um oceano verde com monstros. E alguns dizem que é onde o mundo acaba. Que não há nada além de luzes que deixam a pessoa cega, e a face de Deus com a boca aberta para nos devorar.

— Bobagem — comentou secamente o pistoleiro.

— Claro que é — Kennerly concordou de boa vontade. Ele tornou a ficar de cócoras, sentindo raiva e medo, querendo agradar.

— Procure cuidar bem do meu jumento. — Atirou outra moeda para Kennerly, que a pegou em pleno vôo. Aquilo lembrou ao pistoleiro o modo como um cachorro pega uma bola.

— Com certeza. Vai se demorar um pouco?

— Talvez vá. Haverá água...

— ...se Deus quiser! Claro, claro! — Kennerly riu sem alegria e os olhos continuaram desejando que o pistoleiro caísse morto aos seus pés. — Quando quer, aquela Allie é bastante simpática, não é? — O cavalariço desenhou um círculo tosco com a mão esquerda fechada e começou a mover rapidamente o dedo direito para dentro e para fora.

— Você disse alguma coisa? — o pistoleiro perguntou num tom distante.

Um súbito terror despontou nos olhos de Kennerly, como o brilho de luas gêmeas surgindo no horizonte. Ele pôs as mãos atrás das costas como uma criança travessa apanhada com a mão no pote.

— Não, *sai*, nem uma palavra. E sem dúvida lamento se disse alguma. — Conseguiu ver Soobie se inclinando por uma janela e avançou na direção dela. — Vou lhe dar uma surra, sua putinha rameira! Juro por Deus! Vou...

O pistoleiro se afastou, consciente de que Kennerly se virara para observá-lo, consciente de que poderia dar meia volta e surpreender o cavalariço com alguma franca e verdadeira emoção destilada no rosto.

O que foi, irmão? O homem estava febril e ele sabia que emoção seria: apenas ódio. Ódio do forasteiro. Bem, conseguira tudo que o sujeito tinha a oferecer. A única coisa certa sobre o deserto era seu tamanho. A única coisa certa sobre a cidade era que o jogo não acabava ali. Ainda não.

11

O pistoleiro estava com Allie na cama quando Sheb escancarou a porta com um chute e entrou com a faca.

Já tinham transcorrido quatro dias, que haviam passado como uma bruma confusa. Ele comia. Dormia. Fazia sexo com Allie. Descobriu que ela tocava rabeca e pediu que tocasse para ele. Allie se sentava à janela na luz suave do amanhecer, apenas um perfil, e tocava alguma coisa que não saía bem, que talvez fosse boa se ela tivesse tido algum treinamento. Ele sentia uma crescente (mas estranhamente distraída) afeição por ela e achava que podia ser essa a armadilha que o homem de preto havia deixado para trás. Às vezes, ia dar uma volta. Pensava muito pouco sobre as coisas.

Não ouvira o pequeno pianista se aproximar — seus reflexos haviam diminuído. Isso também não parecia importar, embora o tivesse deixado tremendamente assustado em outras circunstâncias de tempo e lugar.

Allie estava nua, com o lençol abaixo dos seios, e eles se preparavam para transar.

— Por favor — ela estava dizendo. — Como antes. Eu quero isso, eu quero...

A porta se abriu de repente e o pianista, joelhos para dentro, fez sua ridícula corrida para o alvo. Allie não gritou, embora Sheb tivesse uma faca de cortar carne de 20 centímetros na mão. Ele fazia um ruído, uma espécie de resmungar inarticulado. Parecia um homem se afogando num balde de lama. O cuspe voava. Quando Sheb arriou a faca com as duas mãos, o pistoleiro agarrou seus punhos e torceu. A faca caiu no chão. Sheb deixou escapar um guincho alto, como uma porta de cozinha enferrujada. As mãos dele, com os dois pulsos quebrados, sacudiram-se em movimentos de marionete. O vento açoitava a janela. Na parede, o espelho de Allie, ligeiramente embaçado e deformado, refletia o quarto.

— Ela era minha! — Sheb chorava. — Foi minha primeiro! Minha!

Allie o olhou e saiu da cama. Vestiu um roupão e o pistoleiro teve um momento de simpatia por um homem que devia estar se vendo na extremidade oposta do que fora um dia. Era apenas um homenzinho. E de repente o pistoleiro soube onde o tinha visto antes. Onde o conhecera.

— Tudo era pra você — Sheb soluçava. — Era só pra você, Allie. Era você em primeiro lugar e tudo era pra você. Eu... ah, ó Deus, meu Deus... — As palavras se dissolveram num paroxismo de coisas ininteligíveis e acabaram em lágrimas. Ele oscilava de um lado para o outro segurando os punhos quebrados contra a barriga.

— Shhh. Shhh. Me deixe ver. — Ela se ajoelhou a seu lado. — Estão quebrados. Sheb, seu asno. Como vai ganhar a vida? Não sabe que nunca foi um homem forte? — Ajudou-o a ficar de pé. Sheb tentou levar as mãos ao rosto, mas as mãos não obedeceram e ele chorou copiosamente. — Vamos até a mesa e vou ver o que posso fazer.

Allie o conduziu até a mesa e fixou os pulsos com ripas de lenha tiradas da fornalha. Ele agora chorava baixo, já sem muita vontade.

— Mejis — disse o pistoleiro e o pequeno pianista olhou ao redor, olhos arregalados. O pistoleiro abanava a cabeça, bastante amigável agora que Sheb não estava mais tentando enfiar uma faca em sua cabeça. — *Mejis* — ele tornou a dizer. — No Mar Claro.

— Qual o problema?

— Esteve lá, não foi? *N* vezes, como eles costumavam dizer.

— E daí? Não me lembro de você.

— Mas se lembra da moça, não é? A moça chamada Susan? E a noite da Bisca? — Sua voz ganhou uma certa rispidez. — Esteve lá na fogueira?

Os lábios do homenzinho tremeram. Estavam cobertos de cuspe. Os olhos diziam que ele sabia a verdade: estava mais perto da morte agora do que quando irrompera com uma faca na mão.

— Saia daqui — disse o pistoleiro.

A compreensão despontou nos olhos de Sheb.

— Mas você era apenas um *garoto*! Um daqueles três *garotos*! Você tinha ido para contar mercadoria e Eldred Jonas estava lá, o Caçador de Caixão, e...

— Saia enquanto pode — disse o pistoleiro e Sheb foi embora, mantendo os pulsos quebrados diante do corpo.

Allie voltou para a cama.

— Qual foi o problema?

— Não importa — disse ele.

— Está bem... então onde nós estávamos?

— Em lugar nenhum. — O pistoleiro rolou para o lado, para longe dela.

— Você sabia sobre eu e ele — disse Allie num tom paciente. — Sheb fez o que pôde, o que não foi muito, e eu aproveitei o que pude, porque precisava. Não tenho mais nada a fazer com Sheb. E sabe de uma coisa... — Pôs a mão no ombro dele. — Achei ótimo que seja tão forte.

— Agora não — disse o pistoleiro.

— Quem era ela? — E então, respondendo à própria pergunta: — Uma moça que você amou.

— Esqueça isso, Allie.

— Eu posso lhe dar força...

— Não — disse ele. — Você não pode fazer isso.

12

Na noite seguinte, o bar ficou fechado. Era o que se fazia passar pelo Sabbath em Tull. O pistoleiro foi até a igrejinha torta ao lado do cemitério, enquanto Allie limpava as mesas com um desinfetante forte e lavava as mangas dos lampiões de querosene com água e sabão.

Uma estranha penumbra arroxeada envolvera o lugar e, vista da estrada, a igreja iluminada por dentro parecia quase uma fornalha incandescente.

— Não vou — dissera Allie secamente. — A pregadora tem uma religião venenosa. Deixe as pessoas de respeito irem lá.

Ficou parado no vestíbulo, escondido numa sombra, espiando. Não havia mais bancos e os fiéis permaneciam de pé (viu Kennerly e sua prole; Castner, dono do mirrado armarinho da cidade, e a esposa um pouco corcunda; alguns freqüentadores do bar; algumas "cidadãs" que ele nunca tinha visto antes, e, supreendentemente, Sheb). Cantavam um hino sem acompanhamento, a *capella.* Olhou curioso para a montanhosa mulher no púlpito. Allie dissera: "Ela mora sozinha, quase não vê ninguém. Só sai aos domingos para anunciar o fogo do inferno. Seu nome é Sylvia Pittston. É maluca, mas exerce um feitiço sobre as pessoas. Gostam assim. É o que serve a eles".

Nenhuma descrição poderia transmitir as dimensões exatas da mulher. Seios como paredes de trincheira. A enorme pilastra do pescoço levando à pastosa lua esbranquiçada do rosto, onde piscavam dois olhos tão largos e escuros que lembravam lagoas sem fundo. O belo e espesso cabelo castanho se amontoava no alto da cabeça num coque informal, sustentado por um grampo quase do tamanho de um gancho de carne. O vestido que usava parecia feito de sacos de aniagem. Os braços que seguravam o livro de hinos eram duas lajes. A pele parecia cremosa, sem marcas, atraente. O pistoleiro calculou que pesasse quase 150 quilos. O repentino, veemente desejo que sentiu por ela o deixou meio trêmulo. Então virou a cabeça e olhou para outro lado.

"Vamos nos juntar no rio,
Tão belo, belo,
O riiiio,
Vamos nos juntar no rio
Que corre no reino de Deus."

A última nota do último coro cessou e houve um momento de tosses e arrastar de pés.

Ela esperou. Quando as pessoas se acomodaram, a pregadora estendeu as mãos como numa bênção. Foi um gesto inspirador.

— Meus queridos irmãozinhos e irmãzinhas em Cristo.

Uma fala assombrosa. Por um momento, o pistoleiro teve sensações de nostalgia e medo, mescladas a uma estranha impressão de *déjà vu. Sonhei isto,* ele pensou. *Ou já estive aqui antes. Mas nesse caso, quando? Não em Mejis.* Não, não lá. Afastou a impressão. O público — talvez no máximo umas 25 pessoas — ficara extremamente silencioso. Cada olho estava preso na pastora.

— O tema de nossa meditação desta noite é *O Intruso.* — A voz era doce, melodiosa, o tom de uma contralto bem treinada.

Um pequeno murmúrio correu pela assembléia.

— Acho — Sylvia Pittston disse ponderadamente — que conheço pessoalmente quase todos do Bom Livro. Nos últimos cinco anos, gastei três exemplares e, antes disso, um número incontável deles, preciosos mas consumíveis como qualquer outro livro neste mundo doente. Gosto da história e gosto dos personagens da história. Andei de braços dados com Daniel na cova dos leões. Estive com Davi quando ele foi tentado por Betsabéia, que se banhava na piscina. Estive na fornalha ardente com Sadraque, Mesaque e Abednego. Exterminei dois mil com Sansão quando ele agitou o maxilar e fiquei ofuscada com São Paulo na estrada para Damasco. Chorei com Maria no Gólgota.

Um leve, ansioso suspiro na audiência.

— Eu os conheci e amei. Há apenas *um* — ela ergueu um dedo — apenas um personagem, no maior de todos os dramas, que não conheço. Apenas *um* que permanece lá fora com o rosto na sombra. Apenas *um* que faz meu corpo tremer e meu espírito fraquejar. Tenho medo dele. Não sei qual é sua intenção e tenho medo dele. Tenho medo do Intruso.

Outro suspiro. Uma mulher pusera a mão na boca como para deter um som que estivesse rolando, rolando.

— O Intruso que foi no escuro até Eva como cobra em sua barriga, se contorcendo e rindo. O Intruso que caminhou entre as Crianças de Israel enquanto Moisés estava lá em cima no Monte, que cochichou para fazerem um ídolo dourado, um bezerro dourado, e cultuarem-no entre sujeira e fornicação.

Gemidos, acenos de cabeça.

— O Intruso! Ele estava no balcão com Jezebel, viu quando o rei Ahaz caiu gritando até morrer e os dois sorriram quando os cães se juntaram e lamberam seu sangue. Oh, meus irmãozinhos e irmãzinhas, cuidem-se contra O Intruso.

— Sim, ó Jesus... — disse o homem em que o pistoleiro tinha reparado ao chegar à cidade, o sujeito com o chapéu de palha.

— Ele sempre esteve lá, meus irmãos e irmãs. Mas não sei qual é sua intenção. E *vocês* não sabem qual é sua intenção. Quem poderia compreender a terrível escuridão que rodopia por lá, o orgulho e a blasfêmia titânica, a ímpia alegria? E a loucura! A tagarelante loucura que caminha, se arrasta, se contorce entre as ânsias e desejos mais terríveis dos homens?

— Oh, Jesus Salvador...

— Foi *ele* quem levou nosso Senhor até o alto da montanha...

— Sim...

— Foi *ele* quem o tentou e mostrou-lhe o mundo inteiro e os prazeres do mundo...

— *Simmm...*

— É *ele* quem voltará quando o Final dos Tempos cair sobre o mundo... e o final está vindo, meus irmãos e irmãs, não conseguem sentir como está?

— *Simmm...*

Balançando e soluçando, a assembléia transformou-se num mar; a pregadora parecia estar apontando para todos e para ninguém.

— É *ele* que virá como o Anticristo, um rei rubro com olhos sanguinários, que conduzirá os homens para as entranhas flamejantes da perdição, para a sangrenta meta de iniqüidade, como a Grande Centopéia pendendo em chamas no céu, como fel corroendo os órgãos vitais das crianças, como úteros de mulheres parindo monstruosidades, como as obras das mãos dos homens convertidas em sangue...

— Ahhh...

— Ah, Deus...

— Deeeeeeeee...

Uma mulher caiu no chão, as pernas se debatendo contra o assoalho. Um de seus sapatos voou.

— É *ele* que está atrás de cada prazer carnal... ele que faz as máquinas com LaMerk estampada, *ele!* O Intruso!

LaMerk, o pistoleiro pensou. *Ou talvez ela tenha dito LeMark.* A palavra teve uma vaga ressonância dentro dele, mas nada em que pudesse pôr o dedo. Mesmo assim, procurou arquivá-la em sua memória, que era vasta.

— Sim, Senhor! — estavam gritando.

Um homem caiu de joelhos, segurando a cabeça e urrando.

— Quando você toma uma bebida, quem segura a garrafa?

— *O Intruso!*

— Quando você se senta para um jogo de faraó ou de bisca, quem dá as cartas?

— *O Intruso!*

— Quando você se deleita com a carne de outro corpo, quando você se polui com sua mão solitária, a quem está vendendo a alma?

— *In...*

— *tru...*

— Oh, Jesus... Oh...

— *...so...*

— Ahh... Ahh... Ahh...

— E quem é ele? — a mulher gritou. Mas estava calma por dentro. O pistoleiro podia sentir a tranqüilidade, o autodomínio, o controle e comando. Pensou de repente, com terror e segurança absoluta, que o homem que se autodenominara Walter deixara um demônio nela. Estava possessa. Sentiu novamente, através de seu medo, a quente vibração do desejo sexual, e pensar nisto era de alguma forma como pronunciar a palavra que o homem de preto deixara na mente de Allie como um alçapão armado.

O homem que estava segurando a cabeça ficou desatinado e saiu andando à tontas.

— Estou no inferno! — gritava erguendo os olhos para ela. O rosto se torcia e contorcia como se cobras rastejassem por baixo da pele. — Pratiquei fornicações! Pratiquei jogo! Pratiquei erva! Pratiquei *pecados!* Eu... — Mas sua voz elevou-se para o céu num grito terrível, histérico, que sufocou a possibilidade de articulação. Segurava a cabeça como se, a qualquer momento, ela fosse se abrir como um melão maduro demais.

A congregação se acalmou. Parecendo obedecer a alguma ordem indireta, ficou congelada nas poses meio eróticas de êxtase.

Sylvia Pittston estendeu a mão e agarrou a cabeça dele. O grito do homem cessou quando os dedos fortes e brancos, sem vícios, macios, passaram pelo seu cabelo. Ele erguia os olhos e a fitava com ar estúpido.

— Quem esteve com você no pecado? — ela perguntou. Seus olhos olhavam nos dele, de modo fundo o bastante, suave o bastante, frio o bastante para afogá-los.

— O... O Intruso.

— Chamado como?

— Chamado Grande e Supremo Satã. — Um murmúrio áspero, envolvente.

— Você renuncia a ele?

Avidamente:

— Sim! Sim! Oh, meu Jesus Salvador!

Ela balançou a cabeça; ele a fitou com o olhar vazio e vidrado do fanático.

— Se ele atravessasse aquela porta — agitou um dedo para as sombras do vestíbulo, onde se achava o pistoleiro —, renunciaria ante seu rosto?

— Pelo nome de minha mãe!

— Acredita no eterno amor de Jesus?

O homem começou a chorar.

— É foda que ainda me pergunte...

— Ele vai lhe perdoar isso, Jonson.

— Deus seja louvado — disse Jonson, ainda chorando.

— Sei que ele o perdoa, como sei que vai despejar os ímpios de seus palácios e colocá-los no lugar de ardente escuridão além do fim do Fim do Mundo.

— *Deus seja louvado.* — A congregação, extenuada, clamou solenemente.

— Assim como sei que esse Intruso, esse Satã, esse Senhor das Moscas e das Serpentes, será abatido e esmagado... Você o esmagará se o vir, Jonson?

— Sim, e que Deus seja louvado! — Jonson chorava. — Com meus dois pés!

— Vocês o esmagarão se o virem, irmãos e irmãs?

— *Simm...* — Saciados.

— Se o virem sassaricando amanhã pela rua principal?

— Que Deus seja louvado...

O pistoleiro saiu de trás da porta e tomou o rumo da cidade. O cheiro do deserto era óbvio na atmosfera. Estava quase na hora de ir embora.

Quase.

13

De novo na cama.

— Ela não o receberá — disse Allie. Parecia assustada. — Não recebe ninguém. Apenas sai nas tardes de domingo para espantar o mal de dentro das pessoas.

— Há quanto tempo ela está aqui?

— Doze anos. Ou talvez não mais que dois. O tempo é engraçado, como você sabe. Mas não vamos falar dela.

— De onde veio? De que direção?

— Não sei. — Mentira.

— Allie?

— *Não sei!*

— Allie?

— Tudo bem! Tudo bem! Veio das cabanas! Do deserto!

— Foi o que pensei. — Ele relaxou um pouco. Em outras palavras, viera do sudeste. Pelo mesmo caminho que ele seguia. O mesmo que, às vezes, conseguia ver até no céu. E desconfiava que a pastora viera de muito mais longe que as cabanas ou mesmo que o deserto. Como tinha viajado até lá? Por meio de alguma velha máquina que ainda funcionasse? Um trem, talvez? — Onde ela mora?

A voz de Allie caiu um ponto.

— Se eu disser, você transa comigo?

— De qualquer modo vou transar com você. Mas quero saber.

Allie suspirou. Era um velho som amarelado, como o de páginas virando.

— A casa dela fica no outeiro atrás da igreja. Uma pequena choupana. É onde o... verdadeiro pastor morou até ir embora. Chega? Está satisfeito?

— Não. Ainda não. — E rolou para cima dela.

14

Era o último dia e ele sabia disso.

Havia um arroxeado feio e deprimente no céu, estranhamente iluminado pelos primeiros clarões do amanhecer. Allie movia-se para lá e para cá como um fantasma, acendendo lampiões, preparando bolinhos de milho que estalavam na frigideira. Ele a amara com vontade depois de ela dizer o que precisava saber. Allie sentira o fim se aproximando e dera mais do que costumava dar, e dera com desespero ante a chegada da aurora, dera com a inesgotável energia de uma adolescente. Mas estava pálida naquela manhã, de novo à beira da menopausa.

Serviu-o sem uma palavra. Ele comeu rapidamente, mastigando e engolindo com força, tomando um gole de café quente a cada dentada. Allie foi até a porta de vaivém e parou fitando a manhã, os batalhões silenciosos das nuvens passando devagar.

— Vai ter poeirada hoje.

— Isso não me espanta.

— Fica espantado com alguma coisa? — Allie perguntou ironicamente, virando-se para vê-lo apanhar o chapéu. O pistoleiro jogou-o na cabeça e passou rápido por ela.

— Às vezes — disse ele. Só a viu mais uma vez com vida.

15

Quando alcançou a choupana de Sylvia Pittston, o vento cessara completamente e o mundo inteiro parecia esperar. Estivera tempo suficiente na região do deserto para saber que, quanto mais longa a calmaria, maior a ventania quando ela acaba. Uma luz estranha e mortiça pairava sobre tudo.

Havia uma grande cruz de madeira pregada na porta da casa, que era velha e pobre. Ele bateu e esperou. Nenhuma resposta. Tornou a bater. Nenhuma resposta. Recuou e chutou a porta com um forte movimento da bota direita. Um pequeno ferrolho se rompeu pelo lado de dentro. A porta bateu numa parede de tábuas pregadas sem nenhum cuidado e pôs os ratos em nervosa correria. Sylvia Pittston estava sentada na sala, numa imensa cadeira de balanço de ferro, e o contemplava calmamente com aqueles olhos grandes e negros. A luz de temporal caía sobre suas bochechas em semitons instáveis. Ela usava um xale. A cadeira produzia pequenos rangidos.

Os dois se olharam por um bom e incalculável tempo.

— Nunca vai pegá-lo — disse ela. — Você anda no caminho do mal.

— Ele veio até você — disse o pistoleiro.

— E até minha cama. Falou comigo na Língua. A Fala Superior. Ele...

— Ele a fodeu. No pleno sentido da palavra.

Ela não se perturbou.

— Você segue o caminho do mal, pistoleiro. Fica nas sombras. Ficou nas sombras do lugar sagrado ontem à noite. Achou que eu não podia vê-lo?

— Por que ele curou o comedor de erva?

— É um anjo de Deus. Ele o disse.

— Espero que tenha sorrido quando disse isso.

Ela fez o lábio se afastar dos dentes num gesto inconscientemente selvagem.

— Ele me disse que você o seguiria. Me disse o que fazer. Disse que você é o Anticristo.

O pistoleiro balançou a cabeça.

— Ele não falou isso.

— Disse que você ia querer me levar para a cama. — A mulher sorria languidamente. — É verdade?

— Já encontrou algum homem que não a quisesse levar para a cama?

— O preço de minha carne seria sua vida, pistoleiro. Ele me trouxe uma criança. Não dele, mas o filho de um grande rei. Se você me invadir... — Deixou o sorriso lânguido completar o pensamento. Ao mesmo tempo, fez um gesto com as enormes, montanhosas coxas. Elas se estendiam sob seu traje como dois contornos realmente esculturais. O efeito era estonteante.

O pistoleiro deixou cair as mãos nos cabos dos revólveres.

— Você tem um demônio, mulher, não um rei. Mas não tenha medo. Posso removê-lo.

O efeito foi instantâneo. Ela se encolheu na cadeira e um olhar de fuinha cintilou em seu rosto.

— Não me toque! Não chegue perto! Não se atreveria a encostar a mão na Noiva de Deus!

— Quer apostar? — disse o pistoleiro. Deu um passo na direção dela. — Como diz o jogador quando aposta um punhado de notas e moedas: olhe só pra mim.

A carne estremeceu na enorme ossatura. O rosto da mulher se tornara uma caricatura do terror e os dedos pontudos martelaram o sinal da cruz na direção dele.

— O deserto — disse o pistoleiro. — O que há depois do deserto?

— Jamais vai pegá-lo! Jamais! Jamais! Vai arder! Ele me contou!

— Vou pegá-lo — disse o pistoleiro. — Nós dois sabemos disso. O que fica além do deserto?

— Não!

— Responda!

— Não!

Ele deslizou para a frente, caiu de joelhos e agarrou-lhe as coxas. As pernas se fecharam como um torno. Ela fez estranhos, libidinosos ruídos ofegantes.

— Então o demônio — disse o pistoleiro. — Lá vem ele.

— *Não...*

Ele separou-lhe as pernas e tirou um dos revólveres do coldre.

— Não! Não! Não! — A respiração da mulher vinha em jatos curtos, selvagens.

— Responda.

Ela balançou na cadeira e o chão pareceu tremer. Rogos e trechos truncados da escritura voaram de seus lábios.

O pistoleiro empurrou o cano do revólver para a frente. Pôde antes sentir que ouvir o fôlego de pavor sugado pelos pulmões da mulher. Suas mãos batiam na cabeça dele; as pernas martelavam o chão. E, ao mesmo tempo, o corpo enorme tentava tragar o invasor. Lá fora apenas o céu esfiapado e cinzento os observava.

Ela gritou alguma coisa, um som alto e inarticulado.

— O quê?

— *Montanhas!*

— O que há com elas?

— Ele pára... do outro lado... m-m-meu *Jesus!*... para r-recuperar as forças. Med-m-meditação, percebe? Oh... estou... estou...

Toda a enorme montanha de carne subitamente fez força para a frente e para cima, mas ele tomou cuidado para não deixar suas carnes secretas encostarem nele.

Então ela pareceu definhar, ficar menor, e chorou com as mãos no colo.

— Então — disse ele se levantando. — O demônio está servido, hã?

— Saia. Você matou o filho do Rei Rubro. Mas será recompensado. Deixo meu testemunho e garantia a esse respeito. Agora saia. Saia.

O pistoleiro parou na porta e olhou para trás.

— Nenhuma criança — ele resumiu. — Nenhum anjo, príncipe ou demônio.

— Me deixe em paz.

Ele deixou.

16

Quando chegou ao estábulo de Kennerly, uma estranha obscuridade descera sobre o horizonte setentrional e ele percebeu que era poeira. Sobre Tull, o ar continuava extremamente quieto.

Kennerly o esperava entre os restos de forragem que cobriam o chão do estábulo.

— Indo embora? — Sorriu sordidamente para o pistoleiro.

— É.

— Não antes da tempestade.

— Na frente dela.

— O vento anda mais depressa que um homem num jumento. Lá fora, pode matá-lo.

— Vou querer o jumento agora — o pistoleiro se limitou a dizer.

— Claro. — Mas, em vez de ir buscá-lo, Kennerly ficou parado, como se procurasse mais alguma coisa para dizer. Exibia aquele sorriso vil, cheio de ódio, e os olhos piscaram e ultrapassaram o ombro do pistoleiro.

O pistoleiro deu um passo para o lado e se virou ao mesmo tempo. O pesado atiçador de lenha que a menina Soobie segurava assobiou no ar, apenas roçando seu cotovelo. A força do golpe a fizera soltar o atiçador, que bateu com ruído no chão. Na sombra junto às fendas do telhado, andorinhas levantaram vôo.

A moça o contemplava bovinamente. Os seios despontavam com madura imponência na blusa desbotada que usava. Um polegar procurou o céu de sua boca com fantástica lentidão.

O pistoleiro se virou para Kennerly. O sorriso de Kennerly era enorme. A pele, no entanto, estava amarela como cera. Os olhos rolavam nas órbitas.

— Eu... — Kennerly começou num murmúrio cheio de catarro e não conseguiu continuar.

— O jumento — o pistoleiro exigiu em voz baixa.

— Claro, claro, claro — Kennerly sussurrou, o sorriso agora tocado pela incredulidade de que ainda pudesse estar vivo. Virou-se arrastando os pés para pegar o animal.

O pistoleiro foi para onde pudesse observar o trajeto do homem. O cavalariço trouxe o jumento e passou-lhe a rédea.

— Entre e fique com sua irmã — disse a Soobie.

Soobie sacudiu a cabeça e não se mexeu.

O pistoleiro deixou-os ali, um olhando para o outro, parados no chão escuro salpicado de excremento animal, ele com o sorriso perverso, ela com um silencioso, inerte ar de desacato. Lá fora, o calor continuava opressivo.

17

Levou o jumento até o meio da rua, as botas lançando esguichos de pó. Os cantis, inchados de água, iam amarrados no lombo do animal.

Parou no bar, mas Allie não estava lá. O lugar estava deserto, todo fechado por causa da tempestade, mas ainda sujo da noite anterior. Fedia a cerveja choca.

Encheu sua sacola com farinha de milho, milho seco e assado e metade do hambúrguer cru que havia na geladeira. Deixou quatro moedas de ouro empilhadas nas tábuas do balcão. Allie não desceu. O piano de Sheb deu-lhe um tchau-tchau silencioso, de dentes amarelos. Deu meia-volta, saiu e prendeu a sacola no lombo do jumento. Sentia um aperto na garganta. Ainda podia evitar a armadilha, mas as chances eram poucas. Ele era, afinal, O Intruso.

Ultrapassou os prédios de postigos cerrados, à espera. Sentiu os olhos que espreitavam através de rachaduras e fendas. O homem de preto fizera papel de Deus em Tull. Falara do filho de um Rei, um príncipe vermelho. Seria apenas um senso de comicidade cósmica ou uma atitude de desespero? Era uma questão de certa importância.

Houve um grito atormentado, estridente atrás dele e portas de repente se escancarando. Formas investindo. A armadilha fora acionada. Homens com grandes pedaços de pau e homens com roupas sujas de brim. Mulheres de calças largas e vestidos desbotados. Até mesmo crianças, seguindo logo atrás dos pais. E em cada mão havia um pedaço de pau ou uma faca.

Sua reação foi automática, instantânea, inata. Girou nos calcanhares enquanto puxava os revólveres dos coldres, as coronhas firmes e certas em suas mãos. Era Allie, obviamente tinha de ser Allie aproximando-se dele com o rosto distorcido, a cicatriz exibindo um roxo diabólico sob a luz declinante. Percebeu que a estavam mantendo como refém. A cara de Sheb, retorcida num esgar, espreitava sobre o ombro dela como um parente de feiticeira. Allie era seu escudo e a vítima de sacrifício. Viu tudo isso, de forma clara e transparente na luz dura, sem começo nem fim, daquela calma estéril da atmosfera e ouviu Allie dizer:

— Me mate, Roland, me mate! Eu disse a palavra, *dezenove*, eu disse e ele me contou... *Não posso suportar...*

As mãos do pistoleiro estavam treinadas para dar o que ela queria. Ele era o último de sua estirpe e não era apenas sua boca que conhecia a

Fala Superior. Os revólveres descarregaram sua música pesada e atonal no ar. A boca de Allie se agitou, o corpo oscilou e os revólveres tornaram a disparar. A última expressão em seu rosto podia ter sido gratidão. A cabeça de Sheb foi jogada para trás. Os dois caíram no barro.

Foram para a terra dos Dezenove, ele pensou. *Seja ela qual for.*

Pedaços de pau voaram, chovendo sobre ele. Em ziguezague, ele se desviava. Uma ripa com um prego torto na ponta raspou em seu braço e fez escorrer sangue. Um homem com uma barba espigada e axilas manchadas de suor investiu com uma faca cega de cozinha segura numa das mãos. O pistoleiro acertou-o com um tiro e o homem desabou na rua. Os dentes postiços saltaram quando o queixo bateu na terra e sorriram, brilhantes de cuspe.

— SATANÁS! — alguém gritava. — O AMALDIÇOADO! VAMOS ABATÊ-LO!

— O INTRUSO! — outra voz gritou. Pedaços de pau choviam sobre ele. Uma faca atingiu sua bota e ricocheteou. — O INTRUSO! O ANTICRISTO!

Foi abrindo caminho à força pelo meio deles, correndo enquanto os corpos eram abatidos, as mãos acertando os alvos com facilidade e terrível precisão. Dois homens e uma mulher caíram e ele correu pela brecha que deixaram.

Guiou-os por um desfile febril pela rua, na direção da precária venda-barbearia que ficava defronte ao Sheb's. Subiu para a calçada, virou-se de novo e continuou esvaziando o tambor na multidão que atacava. Atrás deles, Sheb, Allie e outros jaziam crucificados na poeira.

Em momento algum a multidão recuou ou hesitou, embora cada tiro atingisse um ponto vital e embora provavelmente eles jamais tivessem visto um revólver.

Fazia sua retirada, mexendo o corpo como um dançarino para evitar os projéteis que voavam. Recarregava o revólver enquanto seguia, com a rapidez que seus dedos haviam treinado. Eles se moviam diligentemente entre cápsulas e cartucheiras. A turba avançou para a calçada e o pistoleiro entrou na venda, batendo a porta. A grande vitrine à direita foi estilhaçada pelo lado de fora e três homens passaram. Tinham os rostos ardorosamente vidrados, os olhos cheios de um fogo mortiço. Atirou nos três, e nos dois que vieram atrás. Caíram na própria vitrine, batendo nos cacos pontudos do vidro, obstruindo a abertura.

A porta tremia e estalava com o peso das pessoas e o pistoleiro ouviu a voz *dela:*

— O MATADOR! SUAS ALMAS! O CASCO PARTIDO!

A porta se soltou das dobradiças e caiu em cheio no interior, fazendo um nítido ruído de palma. Poeira elevou-se do chão. Homens, mulheres e crianças queriam pegá-lo. Cuspe e lenha de fogão esvoaçavam. Ele esvaziava os revólveres e as pessoas caíam como pinos num jogo de boliche. Sua retirada prosseguiu para a barbearia, voando sobre uma barrica de farinha, rolando a barrica na direção deles, atirando uma vasilha de água fervente que continha a lâmina aberta de duas navalhas. Chegavam mais perto, gritando com frenética incoerência. De algum lugar, Sylvia Pittston os exortava, a voz subindo e descendo em inflexões furiosas. Ele empurrava cápsulas em tambores quentes, sentindo os aromas de barba e cabelo, sentindo o cheiro de seu próprio suor enquanto os calos nas pontas dos dedos cantavam.

Atravessou a porta dos fundos e entrou no alpendre. A monótona extensão do deserto estava agora na frente dele, renegando de forma decidida a cidade acocorada em seu lombo poeirento. Três homens se precipitaram pela quina da casa, com grandes sorrisos denunciadores no rosto. Eles o viram, perceberam que também tinham sido vistos e os sorrisos pararam um segundo antes de serem liquidados. Uma mulher os seguira, berrando. Era grande, gorda e conhecida dos freqüentadores do Sheb's como tia Mill. O tiro do pistoleiro jogou-a para trás e ela caiu de pernas abertas como uma rameira, a saia franzida entre as coxas.

Ele desceu os dois degraus e começou a recuar para o deserto: 10 passos, 20. A porta de trás da barbearia se escancarou e mais um grupo irrompeu. O pistoleiro viu de relance Sylvia Pittston. Abriu fogo. Eles caíam agachados, caíam para trás, rolavam pela cerca e caíam no chão. Não projetavam sombras no arroxeado inerte da luz do dia. Ele percebeu que estava gritando. Estivera o tempo todo gritando. Seus olhos pareciam rolamentos soltos. Os testículos tinham se encolhido na direção da barriga. As pernas eram troncos. As orelhas eram ferro.

Os revólveres estavam vazios e as pessoas continuavam atacando, como se fossem um único Olho e uma única Mão. Ele ficou parado, gritando e recarregando, a mente ausente, longe, as mãos fazendo sozinhas seu truque de recarregar. Poderia erguer os braços, dizer às pessoas que passara mil anos aprendendo este truque e outros, falar dos revólveres e do sangue que os tinha consagrado? Não com a boca. Mas as mãos podiam contar sua própria história.

Quando acabou de recarregar, as pessoas estavam em franco ataque e um pedaço de pau atingiu-o na testa, fazendo brotar sangue em gotas ardentes. Em dois segundos poderiam agarrá-lo. Na fila da frente, viu Kennerly; a filha mais nova de Kennerly, talvez com 11 anos; Soobie; dois fregueses do bar; uma prostituta chamada Amy Feldon. Deixou que se aproximassem, eles e quem estava atrás deles. Os corpos caíram como espantalhos. Sangue e cérebros voando em jorros.

Pararam um instante, sobressaltados. O rosto da multidão se fragmentava em rostos individuais, desnorteados. Um homem passou a correr num grande círculo, gritando. Uma mulher com bolhas nas mãos virou a cabeça para o alto e tagarelou febrilmente para o céu. O homem que vira pela primeira vez sentado gravemente nos degraus do armazém acrescentou uma súbita e surpreendente carga ao traseiro de sua calça.

Teve tempo de recarregar um dos revólveres.

Então foi a vez de Sylvia Pittston. Ela corria na direção dele sacudindo uma cruz de madeira em cada mão.

— DEMÔNIO! DEMÔNIO! DEMÔNIO! MATADOR DE CRIANÇAS! MONSTRO! VAMOS DESTRUÍ-LO, IRMÃOS E IRMÃS! DESTRUIR O INTRUSO QUE MATA CRIANÇAS!

Acertou um tiro em cada uma das cruzes, reduzindo ambas a estilhaços, e acertou outros quatro na cabeça da mulher. Ela pareceu se dobrar como sanfona sobre si mesma e oscilar como um tremular de fogo.

Por um momento, todos a fitaram paralisados, enquanto os dedos do pistoleiro faziam seu truque de recarregar. As pontas dos dedos fritavam, queimavam. Círculos nítidos marcavam cada uma delas.

Agora eram em número menor; passara através deles como a lâmina de um cortador de grama. Achou que iam desistir ao ver a mulher morta, mas alguém atirou uma faca. O cabo atingiu-o bem no meio dos olhos e o derrubou. Correram em sua direção numa nuvem agressiva, perversa. Esvaziou de novo os revólveres, pisando nas próprias balas disparadas. A cabeça doía e ele viu grandes círculos marrons na sua frente. Errou um tiro, derrubando 11 com os que acertou.

Mas continuavam atacando, pelo menos os que tinham sobrado. Atirou as quatro balas que pusera no tambor e agora as pessoas batiam nele e o apunhalavam. Livrou o braço esquerdo de dois e guinou para o lado. As mãos continuavam a fazer seu infalível truque de recarregar. Estava esfaqueado no ombro. Estava apunhalado nas costas. Fora atingido no meio das costelas. Fora apunhalado no traseiro com o que podia ter sido um garfo de carne. Um menino se esquivou até ele, provocando seu único corte profundo, um corte na barriga da perna. O tiro do pistoleiro arrancou-lhe a cabeça.

Estavam se dispersando, mas ele continuou a dose, agora atirando para trás. Os que sobraram começaram a se retirar para as casas lascadas, cor de areia, mas as mãos do pistoleiro continuaram fazendo seu trabalho, como cachorros muito zelosos cumprindo seu dever de ataque não uma ou duas vezes, mas a noite inteira. As mãos os iam abatendo enquanto eles corriam. O último conseguiu chegar aos degraus do alpendre nos fundos da barbearia e foi então que a bala do pistoleiro pegou-o atrás da cabeça.

— *Iauu!* — o homem gritou e caiu. Foi a palavra final de Tull sobre o assunto.

O silêncio voltou, enchendo espaços rasgados.

O pistoleiro sangrava talvez por umas 20 feridas diferentes, todas superficiais, com exceção do corte na perna, que ele amarrou com uma tira da camisa. Aprumou-se e examinou os mortos.

Eles formavam uma trilha tortuosa, um ziguezague da porta dos fundos da barbearia ao ponto onde ele se encontrava. Jaziam em todas as posições. Ninguém parecia estar dormindo.

Seguiu a trilha da morte, fazendo a conta. Na venda, um homem esparramado no chão abraçava carinhosamente o jarro de doces lascado que tentara arrastar de lá.

O pistoleiro acabou onde tinha começado, no meio da rua deserta que cortava a cidade. Atirara e matara 39 homens, 14 mulheres e cinco crianças. Atirara e matara todo mundo em Tull.

Um aroma enjoativamente adocicado chegou até ele com o vento seco que começava a soprar. Seguindo a direção do cheiro, o pistoleiro levantou e abanou a cabeça. O corpo em decomposição de Nort estava de pernas e braços abertos no alto do telhado de tábuas do Sheb's. Fora crucificado com cravos de madeira. A boca e os olhos estavam abertos. A marca de um grande e arroxeado casco fendido fora impressa na pele encardida da testa.

O pistoleiro saiu da cidade. Seu jumento estava parado numa moita de erva a cerca de 40 metros de distância no que restava da estrada das diligências. O pistoleiro levou-o de volta ao estábulo de Kennerly. Lá fora, o vento soava como uma música de bêbado. Resolveu deixar o animal guardado por algum tempo e voltou à taberna. Encontrou uma escada no depósito de trás, subiu no telhado e soltou Nort. O corpo estava mais leve que um saco de gravetos. Deixou-o no chão para que se juntasse às pessoas comuns, àquelas que só tiveram de morrer uma vez. Depois tornou a entrar, comeu hambúrgueres e tomou três cervejas enquanto a tarde caía e a areia começava a voar. Naquela noite, dormiu na cama onde havia se deitado com Allie. Não teve sonhos. Na manhã seguinte, o vento se fora e o sol exibia sua identidade de sempre, brilhante e banal. Os corpos, como erva caída, tinham ido com o vento para o sul. No meio da manhã, depois de ter amarrado todos os seus cortes, ele também partiu.

18

Achou que Brown havia dormido. O fogo já não passava de uma centelha, e o pássaro, Zoltan, pusera a cabeça sob a asa.

No momento em que ia se levantar e abrir um colchão de palha que havia no canto, Brown falou:

— Pronto. Você contou. Está se sentindo melhor?

— Por que eu deveria estar me sentindo mal? — reagiu o pistoleiro.

— Você mesmo disse que é humano. Não demônio. Ou será que mentiu?

— Não menti. — Sentiu-se relutantemente admitindo: gostava de Brown. Realmente gostava. E não mentira de forma alguma para o colono. — Quem é você, Brown? Quem é de verdade.

— Sou só eu — ele disse, imperturbável. — Por que tem de achar que está no meio de algum mistério?

O pistoleiro acendeu um cigarro sem responder e Brown continuou:

— Acho que está muito perto do seu homem de preto. Ele não está encurralado?

— Não sei.

— Você está?

— Ainda não — disse o pistoleiro olhando para Brown com um certo ar de desafio. — Vou onde tenho de ir, faço o que tenho de fazer.

— Então está bom — disse Brown, virando-se de lado para dormir.

19

Na manhã seguinte, Brown alimentou-o e o pôs a caminho. À luz do dia, o colono era uma figura impressionante. O peito muito magro, queimado de sol, as clavículas finas como lápis e um terrível emaranhado de cabelo ruivo. O pássaro se empoleirava em seu ombro.

— O jumento? — o pistoleiro perguntou.

— Vou comê-lo — disse Brown.

— Tudo bem.

Brown estendeu a mão e o pistoleiro apertou. O colono acenou com a cabeça para sudeste.

— Vá em paz. Longos dias e belas noites.

— Que você tenha tudo isso em dobro.

Um balançou a cabeça para o outro e o homem que Allie chamara de Roland se afastou, o corpo emoldurado de revólveres e cantis de água. Olhou uma vez para trás. Brown cavava furiosamente a terra em seu pequeno milharal. O corvo estava agora empoleirado na aba do telhado da casa, como uma gárgula.

20

A fogueira estava baixa e as estrelas tinham começado a empalidecer. O vento rolava sem descanso, contando sua história para ninguém. O pistoleiro deu um safanão no meio do sono e voltou a ficar quieto. Sonhava um sonho árido. Na escuridão, o contorno das montanhas era invisível. Qualquer sensação de pesar, quaisquer sentimentos de culpa haviam se extinguido. O deserto os secara. Viu-se pensando cada vez mais em Cort, que o ensinara a atirar. Cort sabia distinguir o certo do errado.

Tornou a se mexer e acordou. Piscou ante a fogueira apagada, com sua forma final sobreposta à primitiva, mais geométrica. Era um romântico, ele sabia, e guardava ciosamente este conhecimento. Era um segredo que compartilhara com poucos através dos anos. A moça chamada Susan, a moça de Mejis, fora um deles.

Isso, é claro, fez com que pensasse novamente em Cort. Cort estava morto. Estavam todos mortos, exceto para ele. O mundo seguira adiante.

O pistoleiro colocou sua munição sobre o ombro e seguiu.

Capítulo 2

O Posto de Parada

1

Uma canção de ninar rodara o dia inteiro em sua mente, o tipo de coisa enlouquecedora que não passa, que ignora zombeteiramente todas as ordens da mente consciente para cessar e desistir. A canção dizia:

A chuva na Espanha cai sobre o campo
Há contentamento e há também o pranto
mas a chuva na Espanha cai sobre o campo.

A vida macula o tempo santo
Todas as coisas que conhecemos mudam
E tudo permanece igual,
mas seja você maluco ou normal,
a chuva na Espanha cai sobre o campo.

Anda-se enamorado, mas se voa amarrado
E os aviões na Espanha caem de lado.

Não sabia o que eram aqueles aviões no contexto do último verso da cantiga, mas ao menos sabia por que a cantiga tinha lhe ocorrido. Sonhara repetidamente com seu quarto no castelo e com sua mãe, que a cantara para ele, solenemente deitado na caminha perto da janela de muitas cores.

Ela não a cantava nas horas de dormir à noite, porque todos os meninos nascidos para a Fala Superior têm de enfrentar a escuridão sozinhos, mas cantava nas horas da sesta e ele conseguia lembrar do chuvisco cinzento e pesado que tremia nos arco-íris sobre as cobertas da cama; podia sentir a serenidade do quarto e o pesado calor dos cobertores, o amor pela mãe e seus lábios vermelhos, a obcecante melodia da letra absurda, e a voz dela.

Agora, enquanto andava, a coisa voltava loucamente, como um cachorro correndo atrás da cauda em sua mente. Toda a água se acabara e ele sabia que, muito provavelmente, já podia se considerar um homem morto. Nunca esperou que a coisa chegasse àquele ponto, e lamentava. Desde meio-dia vinha olhando antes para seus pés que para o caminho à frente. Ali, mesmo a erva do diabo crescera mirrada e amarela. A terra dura se dissolvera, em certos pontos, em mero cascalho. Não dava para perceber se as montanhas estavam mais próximas, embora tivessem transcorrido 16 dias desde que deixara a cabana do último colono, um sujeito meio maluco na orla do deserto. O homem tinha um pássaro, o pistoleiro lembrava, mas não conseguia lembrar do nome do pássaro.

Via os pés subirem e descerem como os fios de uma marionete, ouvia a cantiga absurda ecoar como uma dolorosa desafinação em sua cabeça, e se perguntou quando ia cair pela primeira vez. Não queria cair, embora não existisse ninguém para vê-lo. Era uma questão de orgulho. Um pistoleiro conhece o orgulho, aquele osso invisível que mantém o pescoço reto. O que não herdara do pai lhe fora incutido pelo Cort, um garoto cavalheiro, se é que isso pôde existir. Cort, sim, com a curvatura vermelha do nariz e o rosto marcado.

Parou e ergueu bruscamente os olhos. Isto fez sua cabeça zumbir e, por um momento, todo o seu corpo pareceu flutuar. As montanhas ficaram irreais no horizonte distante. Havia, no entanto, mais alguma coisa à frente, algo muito mais perto. Talvez a menos de dez quilômetros. Contraiu os olhos, mas a visão parecia turvada pela areia e ofuscada pelo sol. Balançou a cabeça e recomeçou a andar. A cantiga se repetia e zumbia. Cerca de uma hora depois, caiu e esfolou as mãos. Olhou para as pequenas gotas de sangue na pele arranhada com ar descrente. O sangue não parecia mais fino; parecia como qualquer sangue, agora se dispersando no ar. Parecia quase tão asseado quanto o deserto. Limpou as gotas com a mão, sentindo um ódio cego por elas. Asseado? Por que não? O sangue não era seco. O sangue estava sendo servido. O sangue estava sendo vertido como em sacrifício. Sacrifício de sangue. Tudo que o sangue precisava fazer era correr... correr... correr.

Olhou para os salpicos que tinham caído na terra dura e viu-os serem sugados de uma forma estranhamente rápida. O que acha disso, sangue? Como você entra nisso?

Ó Jesus, estou exausto.

Levantou-se, com as mãos contra o peito, e a coisa que vira antes estava quase na sua frente, tão perto que o fez gritar — um grasnar de corvo sufocado pela poeira. Era um galpão. Não, *dois* galpões de madeira rodeados por uma cerca caída. A madeira parecia velha, frágil ao ponto da fantasia; era madeira se metamorfoseando em areia. Um dos galpões fora um estábulo — a forma era clara, inconfundível. O outro era uma moradia ou uma estalagem. Um posto de parada para a linha de diligências. O arruinado estábulo de areia (o vento encrustara a madeira com grãos até deixá-la parecida com um castelo de areia que o sol tivessse surpreendido na maré baixa e endurecido, tornando possível sua permanência temporária) lançava uma fina linha de sombra e havia alguém sentado na sombra, vergado contra a parede. E a parede parecia vergar com o peso dele.

Ele, então. Finalmente. O homem de preto.

O pistoleiro continuava com as mãos no peito, inconsciente do caráter artificial de sua postura, e contraiu os olhos. Mas em vez da tremenda onda de entusiasmo (ou talvez de medo, ou espanto) que havia esperado, não havia nada além da sombria, atávica culpa pelo ódio súbito, brutal de seu próprio sangue momentos atrás, e o interminável tatibitate da canção de ninar:

... a chuva na Espanha...

Avançou, puxando um dos revólveres.

... cai sobre o campo.

Venceu os últimos 500 metros numa corrida decidida, espalhafatosa, sem tentar se esconder; não havia nada onde pudesse se esconder. Sua sombra curta corria atrás dele. Não tinha idéia de que seu rosto se transformara numa cinzenta e empoeirada máscara mortuária da exaustão; não tinha idéia de nada a não ser do vulto na sombra. Só mais tarde lhe passaria pela cabeça que o vulto podia até já estar morto.

Pisou numa das cercas caídas (a madeira quebrou sem fazer barulho, quase num tom de desculpas) e investiu pelo ofuscante e silencioso pátio do estábulo, apontando o revólver.

— Está na minha mira! Está na minha mira! Levante as mãos, seu filho-da-puta, você está...

O vulto se moveu tropegamente e ficou de pé. O pistoleiro pensou: *Meu Deus, nunca vi ninguém tão acabado, que aconteceu a ele?* Pois o homem de negro encolhera mais de meio metro e o cabelo tinha ficado branco.

O pistoleiro hesitou, estupefato, a cabeça zumbindo de modo dissonante. O coração disparava num ritmo fantástico. *Vou morrer aqui...*, ele pensou.

Sugou o imaculado calor do ar para os pulmões e curvou um instante a cabeça. Quando tornou a erguê-la, viu que não era o homem de preto, mas um garoto com cabelo descolorido pelo sol, fitando-o com olhos que não pareciam muito interessados. O pistoleiro o encarou com ar confuso e balançou a cabeça numa negativa. O garoto ressuscitou sua desconfiança nas coisas que via; o garoto era uma forte ilusão. Usava uma calça *jeans* azul com remendo num dos joelhos e uma camisa marrom de tecido rude.

O pistoleiro tornou a balançar a cabeça e continuou a andar para o estábulo de olhos baixos, mas com o revólver na mão. Ainda não conseguia pensar. Tinha a cabeça cheia de fragmentos e havia uma enorme, palpitante dor crescendo dentro dela.

O interior do estábulo era silencioso, escuro e tremendamente quente. O pistoleiro olhou ao redor com pupilas grandes e agitadas. Deu uma meia-volta cambaleante e viu o garoto de pé na porta arruinada, olhando para ele. Uma pontada de dor deslizou surdamente para sua cabeça, dilacerando-a de uma têmpora a outra, dividindo seu cérebro como uma laranja. Tornou a pôr o revólver no coldre, oscilou, estendeu as mãos como para repelir fantasmas, e caiu de frente no chão.

2

Quando acordou, estava de costas e tinha uma pilha de feno macio e sem cheiro sob a cabeça. O garoto não fora capaz de movê-lo, mas o deixara razoavelmente confortável. E estava fresco. Olhou para o peito e viu que sua camisa estava escura e úmida. Passou a língua pelos lábios e sentiu o gosto de água. Piscou os olhos. A língua pareceu se dilatar na boca.

O garoto estava agachado ao lado dele. Ao ver que o pistoleiro abrira os olhos, estendeu a mão e passou-lhe uma caneca de metal amassada cheia d'água. Ele agarrou-a com mãos trêmulas e se permitiu beber um pouco — só um pouco. Quando a água desceu e pousou em sua barriga, bebeu um pouco mais. Depois derramou o resto na cara e deu uma série de sopradas nervosas. Os simpáticos lábios do garoto se curvaram num sorriso breve e solene.

— Vai querer alguma coisa para comer, senhor?

— Ainda não — disse o pistoleiro. Tinha ainda uma dor enjoada na cabeça por causa da insolação e a água parecia incômoda no estômago, como se ela não soubesse para onde ir. — Quem é você?

— Meu nome é John Chambers. Pode me chamar de Jake. Tenho uma amiga... bem, mais ou menos amiga, ela trabalha para nós... que às vezes me chama de 'Bama, mas pode me chamar de Jake.

O pistoleiro se sentou e a dor enjoada se tornou imediatamente intensa. Ele se inclinou para a frente e perdeu uma breve batalha com seu estômago.

— Tem mais — disse Jake, pegando a caneca e indo para os fundos do estábulo. Fez uma pausa e virou a cabeça, sorrindo com hesitação. O pistoleiro abanou afirmativamente a cabeça, depois abaixou-a e sustentou-a com as mãos. O garoto tinha um bom físico, uma cara agradável, talvez uns dez ou 11 anos. Uma sombra de medo transparecera em sua expressão, mas não fazia mal; o pistoleiro teria confiado muito menos se ele não tivesse mostrado medo.

Um zumbido estranho e forte começou nos fundos do estábulo. O pistoleiro ergueu a cabeça atentamente, as mãos se aproximando dos cabos dos revólveres. O barulho durou talvez uns 15 segundos e depois parou. O garoto voltou com a caneca — agora cheia.

De novo o pistoleiro bebeu com parcimônia, e desta vez foi um pouco melhor. A dor na cabeça estava passando.

— Não soube o que fazer quando você caiu — disse Jake. — E, por alguns segundos, achei que ia atirar em mim.

— Talvez fosse. Confundi você com outra pessoa.

— Com o pastor?

O pistoleiro ergueu bruscamente a cabeça. O garoto examinou-o com ar sério.

— Ele acampou no terreno. Eu estava na casa lá embaixo. Que talvez seja um depósito. Não gostei dele, por isso não saí. Chegou à noite e foi embora no dia seguinte. Eu também teria me escondido de você, mas estava dormindo quando chegou. — Olhou sombriamente sobre a cabeça do pistoleiro. — Não gosto de pessoas. Elas me ferraram.

— Como era o homem?

— Parecia um pastor — disse o garoto dando de ombros. — Estava usando roupas pretas.

— Um capuz e uma beca?

— O que é uma beca?

— É uma túnica. Parece um manto.

O garoto abanou a cabeça.

— Era mais ou menos isso.

O pistoleiro se inclinou para a frente e alguma coisa em seu rosto fez o garoto se encolher um pouco.

— Há quanto tempo foi? Me conte, pelo bem de seu pai.

— Eu... Eu...

— Não vou machucá-lo — disse pacientemente o pistoleiro.

— Eu não sei. Não me lembro quando foi. Os dias são todos iguais.

Pela primeira vez o pistoleiro teve consciência de se perguntar como o garoto fora parar num lugar cercado por tantos quilômetros de deserto seco e matador de gente. Mas não transformaria isto numa preocupação, pelo menos ainda não.

— Tente chegar o mais perto possível. Foi há muito tempo?

— Não. Não muito. Eu mesmo não estou aqui há muito tempo.

A chama acendeu de novo nos olhos do pistoleiro. Ele agarrou a caneca e bebeu um gole mínimo, com mãos trêmulas. Um fragmento da canção de ninar voltou, mas agora, em vez do rosto da mãe, viu a cara marcada de Alice, que fora sua namorada na extinta cidade de Tull.

— Uma semana? Duas? Três?

O garoto olhou-o com um ar meio tonto.

— Sim.

— Qual delas?

— Uma semana. Ou duas. — Olhou para o lado, ficando um pouco vermelho. — Três sufocos atrás, é só assim que sei medir as coisas agora. Ele nem bebeu. Achei que pudesse ser o fantasma de um padre, como no filme que eu vi, só que o Zorro percebeu que não era absolutamente um padre nem um fantasma. Era só um banqueiro querendo uma terra porque havia ouro lá. A senhora Shaw me levou para ver esse filme. Foi em Times Square.

Nada disso tinha o menor sentido para o pistoleiro, que não fez comentários.

— Fiquei com medo — disse o garoto. — Fiquei quase todo o tempo com medo. — Seu rosto trepidou como cristal na última e destrutiva extensão da nota mais alta. — Nem chegou a fazer uma fogueira. Só ficou sentado ali. Nem sei se chegou a dormir.

Perto! Mais perto do que jamais tinha estado, pelos deuses! Apesar da extrema desidratação, suas mãos pareciam ligeiramente úmidas; gordurosas.

— Aqui tem um pouco de carne-seca — disse o garoto.

— Está bem. — O pistoleiro abanou a cabeça. — Bom.

O garoto se levantou para ir buscá-la, os joelhos estalando ligeiramente. Tinha um belo porte. O deserto ainda não o abatera. Os braços eram finos, mas a pele, embora queimada de sol, não era seca nem rachada. *Ele tem seiva vital*, o pistoleiro pensou. *Talvez também tenha um pouco de areia nos miolos ou teria pegado um dos meus revólveres e me matado quando eu estava desacordado.*

Ou talvez o garoto simplesmente não tivesse pensado nisso.

O pistoleiro tornou a beber da caneca. *Com ou sem areia nos miolos, ele não é deste lugar.*

Jake voltou com um monte de carne-seca no que parecia uma tábua de carne lascada pelo sol. A carne era dura, cheia de nervos e salgada o bastante para fazer o ulcerado céu da boca do pistoleiro protestar. Ele comeu e bebeu até se sentir pesado e se recostou. O garoto só comeu um pouco, pegando as fibras escuras com uma estranha delicadeza.

O pistoleiro o olhava, e o garoto devolvia o olhar com bastante franqueza.

— De onde você veio, Jake? — ele perguntou por fim.

— Não sei. — O garoto fechou a cara. — Eu *já* soube. Sabia quando cheguei aqui, mas agora tudo ficou confuso, como um pesadelo visto por quem já acordou. Tenho muitos pesadelos. A senhora Shaw costumava dizer que era porque eu via muitos filmes de terror no canal 11.

— O que é um canal? — Uma idéia absurda ocorreu ao pistoleiro. — É como um raio de luz?

— Não... É na tevê.

— O que é teevêê?

— Eu... — O garoto pôs a mão na testa. — São imagens.

— Alguém o trouxe até aqui? A senhora Shaw?

— Não — disse o garoto. — Eu só *estava* aqui.

— Quem é a sra. Shaw?

— Não sei.

— Por que ela o chamava de 'Bama?

— Não me lembro.

— Você não está falando coisa com coisa — disse o pistoleiro secamente.

De imediato, o garoto pareceu à beira do choro.

— Não posso fazer nada. Eu simplesmente apareci aqui. Se me perguntasse sobre a tevê e os canais que assisti ontem, aposto que ainda podia ter lembrado! Amanhã provavelmente não vou me lembrar sequer de que me chamo Jake... a não ser que você me diga, mas não vai estar mais aqui, certo? Você vai embora e vou morrer de fome porque comeu quase toda a minha comida. Não pedi para estar aqui. Não gosto daqui. É mal-assombrado.

— Não sinta tanta pena de si próprio. Seja positivo.

— Não pedi para estar aqui — o garoto repetiu num desnorteado tom de desafio.

O pistoleiro comeu outro pedaço de carne, cuspindo o sal antes de engolir. O garoto se tornara parte da coisa e o pistoleiro estava convencido de que dizia a verdade — o garoto não pedira aquilo. O que era muito mau. Ele, por exemplo... *ele* havia procurado aquilo. Mas não pedira que o jogo se tornasse tão sujo. Não pedira para ser obrigado a voltar seus revólveres contra os habitantes de Tull; não pedira para matar Allie, com a beleza triste do rosto marcada pelo segredo a que acabara pedindo para ter acesso por meio daquela palavra, *dezenove*, como chave numa fechadura; não pedira para ter de se defrontar com uma escolha entre o dever e o assassinato aberto. Não era justo mexer com espectadores inocentes, fazê-los dizer coisas que não entendiam num palco estranho. *Allie*, ele pensou, *Allie pelo menos fazia parte daquele mundo, ainda que de um modo fantasioso. Mas aquele garoto... aquele maldito garoto...*

— Conte o que consegue lembrar — o pistoleiro disse a Jake.

— É pouca coisa. E já não parece fazer nenhum sentido.

— Conte. Talvez eu possa descobrir o sentido.

O garoto não sabia como começar. Parecia muito concentrado.

— Havia um lugar... o lugar antes deste. Um grande lugar com muitos alojamentos e pátios de onde se podia ver prédios altos e água. Havia uma estátua pousada na água.

— Uma estátua na água?

— Sim. Uma senhora com uma coroa, uma tocha e... acho que... um livro.

— Não está inventando isto?

— É, vai ver que estou — disse o garoto num tom abatido. — Havia coisas para andar nas ruas. Coisas grandes e pequenas. As grandes eram azuis e brancas. As pequenas eram amarelas. Havia um monte de amarelas. Eu ia a pé para a escola. Havia trilhas de cimento dos lados das ruas. Janelas de vidro para serem espiadas e outras estátuas usando roupas. As estátuas vendiam as roupas. Sei que parece loucura, mas as estátuas vendiam as roupas.

O pistoleiro sacudiu a cabeça e procurou a mentira na expressão do garoto. Não viu nenhuma.

— Eu ia a pé para a escola — o garoto repetiu num tom obstinado. — E tinha um... — seus olhos quase fecharam e os lábios se moveram com hesitação — uma... mochila... marrom. Eu carregava um lanche. E andava — de novo a hesitação, uma aflita hesitação — com uma gravata.

— Uma gravata?

Os dedos do garoto fizeram um lento e inconsciente movimento de aperto na garganta, que o pistoleiro associou a enforcamento.

— Tudo simplesmente acabou — disse Jake, olhando para o lado.

— Posso colocá-lo para dormir? — o pistoleiro perguntou.

— Não estou com sono.

— Posso deixá-lo com sono e posso fazê-lo se lembrar das coisas.

Com ar de dúvida, Jake perguntou:

— Como ia conseguir?

— Com isto.

O pistoleiro removeu uma das balas do cinturão e começou a girá-la entre os dedos. O movimento era habilidoso, fluindo como óleo. A bala saltava naturalmente do polegar e indicador ao indicador e médio, do médio e anular ao anular e mindinho. Saía de vista e reaparecia; parecia flutuar brevemente, depois caía. A bala andava entre os dedos do pistoleiro. Os próprios dedos marchavam como os pés tinham marchado nos últimos quilômetros em direção àquele lugar. O garoto observava, a dúvida inicial substituída primeiro pelo simples deleite, depois pelo êxtase, depois pelo início do vazio mental. Os olhos logo se fecharam. A bala dançava de um lado para o outro. Os olhos de Jake tornaram a se abrir, captaram por mais alguns instantes o firme, límpido movimento entre os dedos do pistoleiro e mais uma vez se fecharam. O pistoleiro continuou o malabarismo, mas os olhos de Jake não voltaram a se abrir. O garoto respirava com uma tranqüilidade lenta e regular. Aquele garoto teria de entrar em seu caminho? Sim. Teria. Havia uma certa beleza severa na coisa, como nos pequenos arabescos de água azulada que se agitam entre placas de gelo. Mais uma vez pareceu ouvir a mãe cantando, desta vez não o absurdo sobre a chuva na Espanha, mas um absurdo mais suave, vindo de uma grande distância, enquanto ele próprio oscilava na beira do sono: *Bebê-cabeça, bebê amado, bebê me traga aqui sua cesta.*

Não pela primeira vez, o pistoleiro sentiu o gosto macio, quente da saudade. A bala em seus dedos, manejada com arte tão original, tornou-se de repente horripilante, o rastro de um monstro. Deixou-a cair na palma da mão, fechou o punho e apertou-a com extrema força. Se a bala tivesse explodido naquele momento, teria se alegrado com a destruição da mão talentosa, que só tinha talento, na realidade, para o assassinato. Sempre existiram homicídios no mundo, mas dizer isso não servia de consolo. Havia homicídio, havia estupro, havia práticas execráveis e tudo isso era para o bem, o sangrento bem, o sangrento mito, para o graal, para a Torre. Ah, a Torre permanecia em algum lugar no meio das coisas (assim costumavam dizer), erguendo a massa cinza-escura para o céu, e em seus ouvidos polidos pelo deserto o pistoleiro ouviu o som baixo, suave da voz da mãe: *Rifle, pocotó, cabeça, traga o bastante para encher a cesta.*

Pôs a cantiga, e a doçura da cantiga, de lado.

— Onde você está? — perguntou.

3

Jake Chambers — às vezes 'Bama — está descendo as escadas com sua mochila. Leva um livro chamado Ciência da Terra, *outro,* Geografia, *um bloco de notas, um lápis, um lanche que a senhora Greta Shaw, cozinheira da mãe, preparou para ele na cozinha de fórmica cromada onde um exaustor zumbe eternamente, sugando odores estranhos. Na lancheira leva manteiga de amendoim, um pão com geléia, um cachorro-quente com alface e cebola, e quatro biscoitos Oreo. Os pais não têm raiva dele, mas parece que já o ignoram. Abdicaram dele e o entregaram à senhora Greta Shaw, às babás, a um professor particular no verão e ao Colégio Piper (que é Bom e Particular e, principalmente, Branco) no resto do tempo. Nenhuma dessas entidades jamais fingiu ser mais do que é — profissional, a melhor de cada área. Ninguém o envolveu num abraço particularmente afetuoso, como costuma acontecer nos romances históricos que a mãe lê e em que Jake dá uma olhada, procurando os "trechos picantes". Romances histéricos, como o pai às vezes os chama, ou "rasga-espartilhos".* Tinha de falar alguma coisa, *diz a mãe com infinito desprezo atrás de alguma porta fechada onde Jake escuta. O pai trabalha para* A Rede *e Jake poderia reconhecê-lo numa fila de homens magros com cabelos cortados a máquina um. Provavelmente.*

Jake não sabe que odeia todos os profissionais, com exceção da senhora Shaw. As pessoas sempre o desnortearam. Sua mãe, que é muito magra, mas de um modo sensual, vai freqüentemente para a cama com amigos doentios. O pai às vezes também fala de pessoas da Rede *que estão tomando "Coca-Cola de-*

mais". Esta declaração é sempre acompanhada por um sorriso amarelo e uma rápida e pequena cheirada da unha do polegar.

Agora ele está na rua, Jake Chambers está na rua, "pulou a cerca". Tem boa aparência e boas maneiras, é sério e sensível. Joga boliche uma vez por semana no Mid-Town Lanes. Não tem amigos, só conhecidos. Nunca se preocupou em pensar no assunto, mas a coisa o magoa. Não sabe nem compreende que uma longa associação com profissionais fez com que assumisse muitos de seus traços. A senhora Greta Shaw (a melhor de todos, o que, puxa!, é ao menos um prêmio de consolação) faz sanduíches muito profissionais. Corta-os em quatro partes e retira a casca do pão, de modo que, quando ele come no recreio das quatro horas, tem a sensação de estar num coquetel com um drinque na outra mão, em vez de um almanaque de esportes ou um faroeste de Clay Blaisdell tirado da biblioteca da escola. O pai ganha muito dinheiro porque é um mestre do "jogo mortal" — isto é, colocar um show *mais forte em sua Rede contra um* show *mais fraco numa Rede rival. O pai fuma quatro maços de cigarros, por dia. O pai não tosse, mas tem um sorriso duro, e não é refratário à dose ocasional da velha Coca-Cola.*

Seguindo a rua. Sua mãe deixa o dinheiro do táxi, mas ele caminha sempre que não está chovendo, sacudindo a mochila (e às vezes a sacola de boliche, embora quase sempre a deixe em seu armário). É um rapazinho que parece bem americano com o cabelo louro e os olhos azuis. As garotas já começaram a reparar (com a aprovação das mães) e ele não vira a cara com aquela arrogância volúvel de garoto novo. Fala com elas com involuntário profissionalismo e elas partem confusas. Gosta de geografia e do boliche à tarde. O pai tem ações de uma empresa que fabrica o mecanismo que levanta automaticamente as garrafinhas, mas a Mid-Town Lanes não usa a marca do pai. Ele acha que nunca se importou com isso, mas se importou.

Descendo a rua, passa pela Bloomie's, onde há manequins com casacos de pele, outros com conjuntos Edwardian de seis botões e alguns sem nada, nuzinhos em pêlo. Esses manequins — esses modelos *— são perfeitamente profissionais e ele detesta todo profissionalismo. É jovem demais para já ter aprendido a detestar a si mesmo, mas a semente está lá; com o tempo, vai crescer e produzir seu fruto amargo.*

Chega à esquina e pára, segurando a mochila com uma das mãos. O tráfego passa roncando: barulhentos ônibus azuis e brancos, táxis amarelos,

Volkswagens, um caminhão grande. É apenas um garoto, mas não um garoto qualquer, e vê o homem que o mata pelo canto do olho. É o homem de preto, e não dá para ver o rosto, só a pelerine que rodopia, as mãos estendidas e o sorriso duro, profissional. Cai na rua com os braços esticados, mas sem largar a mochila que contém o lanche extremamente profissional da senhora Greta Shaw. Dá uma breve olhada, através de um pára-brisa polarizado, no rosto horrorizado de um homem de negócios que usa um chapéu azul-escuro com uma peninha vistosa presa na aba. Em algum lugar, um rádio explode com rock-and-roll. *Uma senhora idosa no meio-fio oposto dá um grito — ela está usando um chapéu preto com uma rede. Nada há de vistoso naquela rede negra; lembra um véu de acompanhante de enterro. Jake só sente surpresa e experimenta sua habitual sensação de intensa perplexidade — é assim que a coisa termina? Antes de conseguir fazer mais que 270 pontos no boliche? Bate com força no asfalto, vendo um buraco tapado a uns cinco centímetros dos olhos. A mochila é puxada de sua mão. Está se perguntando se esfolou os joelhos quando o carro do homem de negócios, que usa o chapéu azul com a pena vistosa, passa por cima dele. É um grande Cadillac 1976 azul, com pneus Firestone de banda branca. O carro é quase exatamente da mesma cor que o chapéu do homem de negócios. Quebra as costas de Jake, prepara um molho de suas tripas e faz o sangue lhe sair da boca como um jato de alta pressão. Jake vira a cabeça e vê as flamejantes lanternas traseiras do Cadillac e a fumaça brotando embaixo das rodas recém-freadas. O carro também atropelara sua mochila, deixando sobre ela uma larga marca negra de pneus. Vira a cabeça para o outro lado e vê um grande Ford cinzento com os freios cantando a centímetros do seu corpo. Um sujeito negro, que tem um carrinho que vende rosquinhas e refrigerantes, vem correndo em sua direção. O sangue escorre do nariz, orelhas, olhos e ânus de Jake. Seus genitais foram esmagados. Ele se pergunta, irritado, se os joelhos tinham ficado muito esfolados. Acha que pode chegar atrasado à escola. Agora o motorista do Cadillac vem correndo em sua direção, balbuciando alguma coisa. Vinda de algum lugar, uma voz calma, terrível, a voz do juízo final diz:*

— Sou padre. Me deixem passar. Um Ato de Contrição...

Vê a batina preta e experimenta um súbito horror. É ele, o homem de preto. Jake vira a cara com a última de suas forças. Em algum lugar, um rádio está tocando uma música do Kiss, o grupo de rock. *Vê sua própria mão se arrastando na calçada, pequena, branca, bem proporcionada. Ele nunca roeu as unhas.*

Olhando para sua mão, Jake morre.

4

O pistoleiro está de cócoras, franzindo a testa. Está cansado, seu corpo dói e os pensamentos vêm com lentidão irritante. Na frente dele, o incrível garoto dormiu com as mãos dobradas na barriga, ainda respirando calmamente. Contara a história sem grande emoção, mesmo que a voz tivesse tremido perto do fim, quando chegou ao trecho do "padre" e do "Ato de Contrição". Não falara, é claro, da família e de seu próprio senso de confusa dicotomia, mas isso de qualquer modo tinha transpirado — o bastante para o pistoleiro perceber seu contorno. O fato de nunca ter havido uma cidade como a que o garoto descrevia (a não ser que fosse a mítica cidade de Lud) não era a parte mais desconcertante da história, mas era perturbadora. Tudo aquilo era perturbador. O pistoleiro tinha medo das implicações.

— Jake?

— Hã-hã?

— Quer se lembrar do que disse quando acordar ou quer esquecer?

— Esquecer — respondeu prontamente o garoto. — Quando o sangue saiu da minha boca, pude sentir o gosto da minha própria merda.

— Está bem. Você vai dormir, entendeu? Realmente dormir agora. Fique calmo e deite, se quiser.

Jake se esticou, parecendo pequeno, pacato e inofensivo. O pistoleiro não acreditava que fosse inofensivo. Havia algo de mortal em torno dele, o fedor de uma nova armadilha. Não gostava dessa sensação, mas gostava do garoto. Gostava muito dele.

— Jake?

— Shhh. Estou dormindo. Quero dormir.

— Sim. E quando acordar, não vai se lembrar de nada disto.

— Tudo bem. Ótimo.

O pistoleiro contemplou-o por alguns instantes, pensando em sua própria infância, que geralmente parecia ter acontecido a outro — alguém que saltara alguma fabulosa extensão de tempo para tornar-se outra pessoa, mas que agora parecia comoventemente perto. Fazia muito calor no estábulo do posto de parada, e ele bebeu com cuidado mais um pouco d'água. Depois se levantou e foi para os fundos do galpão, parando para dar uma olhada numa das baias. Havia uma pequena pilha de feno no canto, e um cobertor cuidadosamente dobrado, mas não havia cheiro de cavalo. Não havia cheiro de coisa alguma no estábulo. O sol drenara cada cheiro, não deixando nada. O ar era perfeitamente neutro.

Nos fundos do estábulo, havia um quartinho escuro com uma máquina de aço inoxidável no centro. Não estava enferrujada nem podre. Parecia uma batedeira de manteiga. À esquerda, um cano cromado saía dela, terminando sobre um ralo no chão. O pistoleiro tinha visto bombas como aquela em outros lugares secos, mas nunca uma tão grande. Não podia imaginar como tiveram (e há quanto tempo tiveram) de perfurar fundo para encontrar água, um segredo que ficou para sempre oculto sob o deserto.

Por que não haviam removido a bomba quando o posto de parada foi abandonado?

Demônios, talvez.

Estremeceu de repente com um súbito safanão das costas. A contorção dos nervos agitou sua pele, depois cessou. Aproximou-se do painel da máquina e apertou o botão LIGADO. A máquina começou a zumbir. Após cerca de meio minuto, um jato de água limpa e fresca brotou da bomba e escoou pelo ralo para voltar a circular. Talvez três galões tenham saído da bomba antes que ela se detivesse com um clique final. Era uma coisa tão estranha àquele tempo e lugar como um verdadeiro amor e, no entanto, parecia concreta como um dia de juízo, um silencioso lembrete da época em que o mundo ainda não seguira adiante. Provavelmente, sua fonte de força era atômica, porquanto não havia eletricidade num raio de milhares de quilômetros e eventuais baterias teriam há muito tempo perdido sua carga. Fora fabricada por uma empresa chamada North Central Positronics. O pistoleiro não gostava dela.

Saiu de lá e sentou-se ao lado do garoto, que tinha posto a mão sob o rosto. Bonito garoto. O pistoleiro tomou mais um pouco d'água e cruzou as pernas para se sentar à maneira indiana. O garoto, como aquele colono na orla do deserto que tinha o pássaro (Zoltan, o pisoleiro se lembrou de repente, o nome do pássaro era Zoltan), havia perdido a noção do tempo, mas o fato de o homem de preto estar mais perto parecia fora de dúvida. Não pela primeira vez, o pisoleiro se perguntou se o homem de preto não o estaria deixando se aproximar com alguma segunda intenção. Talvez o pistoleiro estivesse dançando conforme a música dele. Tentou imaginar como poderia ser a confrontação, e não conseguiu.

Estava com muito calor, mas já não se sentia mal. A canção de ninar voltou a lhe ocorrer, mas agora, em vez da mãe, pensou em Cort — Cort, um sujeito frenético que estava sempre jovem, mesmo com o rosto marcado pelas cicatrizes de murros, balas e instrumentos cortantes. Cicatrizes da guerra e do treinamento nas artes da guerra. Não sabia se Cort teve alguma amada para compensar aquelas monumentais cicatrizes. Achava que não. Pensou em Susan, em sua mãe e em Marten, aquele bruxo incompleto.

Embora uma vaga concepção do futuro e certos traços de constituição emocional impedissem que o pistoleiro fosse alguém sem imaginação, uma espécie de perigoso idiota, ele não era homem de se prender ao passado. Por isso, aquele fluxo de pensamentos não deixava de espantá-lo. Cada nome chamava outros — Chuthbert, Alain, o velho Jonas com sua voz de cana rachada; e de novo Susan, a bela moça na janela. Os pensamentos sempre voltavam a Susan, à grande várzea ondulada conhecida como a Baixa e aos pescadores atirando suas redes nas baías do litoral do Mar Claro.

O pianista de Tull (também morto, como todos em Tull, e por sua mão) conhecera aqueles lugares, embora só uma vez o pistoleiro tivesse falado deles com o homem. Sheb gostava muito das velhas canções e um dia tocou-as num *saloon* chamado Traveller's Rest, onde o pistoleiro, num sussurro, cantarolou uma delas.

Amor, oh, amor, oh, desatento amor
Veja o que fez o desatento amor.

O pistoleiro riu, meio tonto. *Sou o último daquele mundo verde e cheio de calor.* Mas, apesar da nostalgia, não sentiu pena de si mesmo.

O mundo passara impiedosamente, mas suas pernas ainda eram fortes, e o homem de preto estava mais perto. O pistoleiro abanou a cabeça.

5

Quando acordou, estava quase escuro e o garoto tinha sumido.

O pistoleiro se levantou, ouvindo as juntas estalarem, e foi para a porta do estábulo. Havia uma pequena chama dançando na escuridão do alpendre da estalagem. Andou na direção dela, sua sombra comprida, negra, se estendendo na luz vermelho-ocre do pôr do sol.

Jake estava sentado ao lado de um lampião a querosene.

— O óleo estava num tambor — ele disse —, mas tive medo de acender lá dentro. Tudo está tão seco...

— Agiu muito bem. — O pistoleiro se sentou, vendo mas não pensando na nuvem de poeira acumulada de anos, que se levantou em volta do seu traseiro. Considerou uma espécie de prodígio que o alpendre simplesmente não desabasse sob o peso dos dois. A chama do lampião sombreava o rosto do garoto com tons delicados. O pistoleiro pôs a mão no bolso e enrolou um cigarro.

— Temos de confabular — disse.

Jake abanou a cabeça, esboçando um sorriso por causa da expressão.

— Acho que você sabe que estou no rastro daquele homem que viu.

— Você vai matá-lo?

— Não sei. Tenho de fazer com que ele me diga alguma coisa. Posso querer que ele me ajude a chegar a um lugar.

— Que lugar?

— Quero encontrar uma torre — disse o pistoleiro, pondo o cigarro sobre a manga do lampião e dando uma tragada. A fumaça foi carregada pelo início de brisa noturna. Jake ficou olhando. Seu rosto não revelava medo nem curiosidade, e certamente também não entusiasmo. — Por isso vou seguir caminho amanhã — continuou o pistoleiro. — Você terá de ir comigo. Sobrou alguma coisa daquela carne?

— Só um pouco.

— Milho?

— Um pouco mais.

O pistoleiro abanou a cabeça.

— Há um porão?

— Sim. — Jake o olhava. Suas pupilas tinham atingido um tamanho imenso, frágil. — Você chega lá por um alçapão no chão, mas eu não desci. Fiquei com medo que a escada quebrasse e eu não conseguisse subir de novo. E o lugar cheira mal. Aliás, é a única coisa por aqui que tem algum cheiro.

— Amanhã vamos acordar cedo e ver se há alguma coisa lá embaixo que valha a pena pegar. Depois partimos.

— Tudo bem. — O garoto fez uma pausa e disse: — Felizmente não o matei quando estava dormindo. Tinha um forcado e cheguei a pensar em fazer isso. Mas não fiz e agora não tenho de ficar com medo na hora de dormir.

— Do que teria medo?

— De fantasmas. — O garoto olhou-o com um ar sombrio. — *Dele* voltar.

— O homem de preto — disse o pistoleiro. Não era uma pergunta.

— É. Ele não é um homem mau?

— Acho que depende do seu ponto de vista — disse o pistoleiro num tom distraído. Então se levantou e jogou o cigarro na terra. — Vou dormir.

O garoto olhou-o timidamente.

— Posso dormir no estábulo com você?

— É claro.

O pistoleiro ficou de pé nos degraus do alpendre, olhando para cima, e o garoto fez o mesmo. A Velha Estrela estava lá no alto, e a Velha Mãe. O pistoleiro teve a impressão de que, se fechasse os olhos, conseguiria ouvir o piar dos primeiros passarinhos da primavera, sentir o cheiro quase de verão da relva após o primeiro corte dos gramados (e ouvir, talvez, o indolente estalar das bolas de madeira quando as senhoras da Ala Leste jogavam críquete, vestidas apenas com suas combinações sob o brilho do crepúsculo que se transformava em escuridão), quase podia ver Cuthbert e Jamie atravessando a abertura na cerca, gritando para que fosse andar com eles...

Não era de seu temperamento pensar demais no passado. Virou-se e pegou o lampião.

— Vamos dormir — disse.

Foram os dois para o estábulo.

6

Na manhã seguinte, o pistoleiro explorou o porão.

Jake tinha razão; cheirava mal. Era um fedor úmido, pantanoso, que fez o pistoleiro sentir náuseas e uma certa tontura após o antisséptico ar sem odores do deserto e do estábulo. O celeiro tinha um cheiro de repolhos, nabos e batatas com polpas espessas e escuras condenadas à eterna podridão. A escada, no entanto, parecia bastante firme e ele desceu.

O piso era de terra batida e sua cabeça quase encostava nas vigas do teto. Ali as aranhas ainda viviam, aranhas perturbadoramente grandes, com manchas coloridas nos corpos cinzentos. Muitas eram mutantes, tendo há muito perdido o contato com suas teias. Outras tinham olhos de quem prepara o bote; outras, ainda, chegavam a ter 16 pernas.

O pistoleiro deu uma olhada em volta e esperou que a vista se acostumasse à escuridão.

— Tudo bem aí? — chamou Jake num tom nervoso.

— Tudo. — O pistoleiro se concentrou num canto. — Há latas. Espere.

Aproximou-se cuidadosamente, curvando a cabeça. Havia uma caixa velha com um dos lados abertos. Eram latas de vegetais (lentilhas, feijão-manteiga) e três latas de carne em conserva.

Ele pegou uma braçada de latas e voltou para a escada. Subiu até o meio e passou as latas para Jake, que se ajoelhou para apanhá-las. Voltou para pegar mais.

Foi na terceira viagem que ouviu o gemido nas fundações.

Virou-se, olhou em volta e sentiu um certo terror indefinido se derramar sobre ele, uma sensação simultaneamente lânguida e repelente.

A fundação era composta de enormes blocos de arenito que, provavelmente, tinham sido uniformemente encaixados quando o posto de parada era novo, mas que estavam agora em ziguezague e fora de prumo. Era como se a parede estivesse marcada com hieróglifos estranhos, cheios de meandros. E da junção de duas intricadas fendas escorria um filete de areia, como se alguma coisa do outro lado estivesse cavando a parede com desajeitada mas agoniante intensidade.

O gemido ia e vinha, mas foi se tornando mais alto, até que o barulho encheu todo o porão numa abstrata mistura de dor dilacerante e tremendo esforço.

— Suba! — Jake gritou. — Ai meu Deus, suba logo, moço!

— Fique aí — disse calmamente o pistoleiro. — Espere aí fora. Se eu não subir depois que você contar até 200... ou melhor, até 300, saia daqui correndo.

— *Suba!* — Jake tornou a gritar.

O pistoleiro não respondeu. Ajustou o coldre com a mão direita.

Agora havia um buraco do tamanho de uma moeda na parede. Pôde ouvir, através da cortina de seu próprio terror, os passinhos miúdos de Jake, que já começava a fugir. Então o filete de areia parou. O gemido cessou, mas ouviu-se um som de respiração forte, ofegante.

— Quem é você? — o pistoleiro perguntou.

Nenhuma resposta.

E na Fala Superior, a voz adquirindo o velho trovejar de comando, Roland perguntou:

— Quem é você, Demônio? Fale, se puder falar. Meu tempo é curto; minha paciência, mais curta ainda.

— Vá devagar — disse uma voz arrastada, pastosa dentro da parede. E o pistoleiro sentiu aquele terror indefinido se tornar mais denso, quase sólido. Era a voz de Alice, a mulher com quem ficara na cidade de Tull. Mas ela estava morta; ele mesmo a vira cair com um buraco de bala no meio da testa. Uma névoa pareceu oscilar e descer pelos seus olhos. — Passe devagar pelos Estreitos, pistoleiro. Fique de olho no encarnado. Enquanto você viaja com o garoto, o homem de preto viaja com sua alma no bolso.

— O que está querendo dizer? Vamos, fale!

Mas a respiração se fora.

O pistoleiro ficou um instante parado, imóvel; então uma das enormes aranhas caiu em seu braço e rastejou freneticamente para o ombro. Com um grunhido involuntário, ele a jogou no chão e pôs os pés em movimento. Não pretendia fazer o que fez em seguida, mas o hábito era estrito, inviolável. Deixe os mortos em paz, dizia o velho refrão; e só uma pessoa morta poderia profetizar daquela maneira. Mas ainda assim ele se aproximou do buraco e deu um soco no lugar. O arenito se esfarelou com facilidade nas bordas e, com um simples enrijecimento dos músculos, o pistoleiro empurrou a mão pela parede.

E tocou em algo sólido, com altas e ásperas protuberâncias. Puxou. Estava segurando um maxilar, um maxilar apodrecido no ponto de articulação. Os dentes estavam tortos.

— Tudo bem — disse em voz baixa. Enfiou o osso bruscamente no bolso de trás e voltou a subir a escada, carregando desajeitadamente as últimas latas. Deixou o alçapão aberto. O sol entraria e mataria as aranhas mutantes.

Jake estava no meio do terreiro do estábulo, encolhido entre o cascalho e as fendas da terra dura. Gritou quando viu o pistoleiro, recuou um ou dois passos e depois correu para ele, gritando:

— Achei que a coisa tinha pegado você, tinha pegado você. Achei...

— Não pegou. Nada me pegou. — Estava abraçado ao garoto, sentindo seu rosto, o calor contra o peito, as mãos ressecadas em suas costelas. Podia sentir as rápidas batidas do coração de Jake. Ocorreu-lhe, mais tarde, que foi aí que começou realmente a gostar do garoto, que era, é claro, o que o homem de preto teria certamente passado o tempo todo planejando. Que armadilha, afinal, poderia se equiparar à do afeto?

— Era um demônio? — Uma voz abafada.

— Era. Um demônio falante. Não temos de voltar lá. Vamos. Vamos puxar o nosso primeiro quilômetro.

Foram até o estábulo e o pistoleiro enrolou algumas coisas no cobertor onde dormira — o cobertor era quente e felpudo, e ele não tinha outra peça de roupa. Feito isso, encheu os cantis com a bomba d'água.

— Você leva um dos cantis — disse o pistoleiro. — Coloque no ombro... sabe como é?

— Sei. — O garoto ergueu os olhos para ele em atitude de veneração, um olhar rapidamente dissimulado. Jogou o cantil sobre o ombro.

— Está muito pesado?

— Não. Está bom.

— Agora me diga a verdade. Não vou poder carregá-lo se tiver uma insolação.

— Não vou ter uma insolação. Não vai haver problema.

O pistoleiro abanou a cabeça.

— Vamos para as montanhas, não é?

— Sim.

Saíram para a firme pressão do sol. Jake, a cabeça na altura do balanço dos cotovelos do pistoleiro, caminhava à sua direita e um pouco à frente, as tranças de couro cru do cantil caindo quase até as canelas. O pistoleiro cruzara dois outros cantis nos ombros e carregava a trouxa de comida na axila, o braço esquerdo firmando-a contra o corpo. Na mão direita ia o embrulho do cobertor, a vara de pederneira e o resto da munição.

Cruzaram o portão na extremidade do posto de parada e encontraram de novo os sulcos borrados da trilha de diligências. Tinham andado talvez 15 minutos quando Jake se virou e acenou para os dois galpões. Eles pareciam encolhidos no espaço titânico do deserto.

— Adeus! — Jake gritou. — Adeus! — Então se voltou para o pistoleiro, com ar perturbado. — Tenho a sensação de que alguma coisa está nos observando.

— Alguma coisa ou alguém — concordou o pistoleiro.

— Havia alguém escondido lá? Escondido o tempo todo lá?

— Não sei. Acho que não.

— Será que devíamos voltar? Voltar e...

— Não. Estamos quites com esse lugar.

— Ótimo — disse Jake com fervor.

Eles prosseguiram. A trilha de diligências subiu um morrote de saibro mais compacto e, quando o pistoleiro olhou em volta, o posto de parada tinha sumido. De novo havia o deserto, e só.

7

Já estavam a três dias do posto de parada; agora, as montanhas pareciam enganosamente nítidas. Podiam ver o avanço suave e regular do deserto pelo sopé da serra, a aridez das primeiras encostas, a rocha aflorando da superfície da terra num triunfo sombrio, comido pela erosão. Mais acima, o terreno voltava provisoriamente a se abrandar e, pela primeira vez em meses, ou anos, o pistoleiro apreciou um verde realmente bonito. Capim, abetos anões, talvez até salgueiros, tudo alimentado pela neve que escorria dos picos. Além desse ponto, a rocha voltava a dominar, elevando-se cada vez mais em gigantesco e caótico esplendor, rumo às ofuscantes calotas de neve. Um pouco para a esquerda, um enorme corte abria caminho para penhascos de arenito, afloramentos menores corroídos pela erosão, e mesetas e pedregulhos no lado oposto. Essa parte mergulhava na quase contínua membrana cinza de pancadas de chuva. À noite, Jake se sentaria fascinado nos poucos minutos antes de mergulhar no sono, contemplando a brilhante esgrima dos relâmpagos distantes, avermelhados e brancos, brotando na limpidez do ar noturno.

O garoto era bom na trilha. Era durão, mas o melhor é que parecia enfrentar a exaustão com um tranqüilo reservatório de força de vontade que o pistoleiro reconhecia e admirava. Não falava muito e não fazia perguntas, nem mesmo sobre o maxilar que o pistoleiro virava e revirava nas mãos enquanto fumava seu cigarro da noite. O pistoleiro teve a sensação de que o garoto se sentia extremamente satisfeito com sua companhia — talvez mesmo entusiasmado por ela — e isso o perturbava. Fora colocado em seu caminho (*enquanto você viaja com o garoto, o homem de preto viaja com sua alma no bolso*) e o fato de Jake não o estar retardando só abria espaço para mais perigosas possibilidades.

Passavam pelas sobras simétricas das fogueiras do homem de preto em intervalos regulares, e o pistoleiro achou que as sobras eram agora muito mais recentes. Na terceira noite, teve certeza de ver o clarão distante de outra fogueira em algum lugar do primeiro trecho em aclive no sopé das montanhas. Isso o agradou menos do que podia ter esperado. Um dos ditados de Cort lhe ocorreu: *Cuidado com o homem que se finge de fraco.*

Perto das duas da tarde, no quarto dia de distância do posto de parada, Jake cambaleou e quase caiu.

— Sente-se aqui — disse o pistoleiro.

— Não, estou bem.

— Sente.

O garoto sentou-se obediente. O pistoleiro se agachou perto dele, assim Jake ficaria em sua sombra.

— Beba.

— Não devo beber até...

— Beba.

O garoto bebeu, três goles. O pistoleiro molhou a ponta do cobertor, que embrulhava agora um número bem menor de coisas, e aplicou o tecido úmido nos pulsos e na testa do garoto, ressecados pela febre.

— Daqui para a frente, descansamos todas as tardes nesta mesma hora. Quinze minutos. Quer dormir?

— Não. — O garoto olhou envergonhado para ele. O pistoleiro retribuiu com um olhar afetuoso. Num gesto distraído, tirou uma das balas do cinturão e começou a passá-la habilidosamente entre os dedos. O garoto olhava, fascinado.

— É incrível — disse ele.

O pistoleiro assentiu.

— É! — Fez uma pausa. — Quando tinha a sua idade, eu morava numa cidade murada, já contei isso?

O garoto balançou a cabeça sonolento.

— Pois é — continuou o pistoleiro. — E havia um sujeito mau...

— Era o padre?

— Bem, às vezes, para dizer a verdade, eu me pergunto se não era — disse o pistoleiro. — Mas quem sabe não *eram* dois, acho agora que deviam ter sido irmãos. Talvez até gêmeos. Mas será que algum dia vi os dois juntos? Não, nunca vi. Esse mau sujeito... esse Marten... era um feiticeiro. Como Merlin. Conheciam Merlin no lugar de onde você veio?

— Merlin, Arthur e os cavaleiros da Távola Redonda — disse Jake num tom de devaneio.

O pistoleiro sentiu um desagradável solavanco passar por ele.

— Sim — disse. — Arthur Eld. Você diz a verdade e eu digo obrigado. Eu era muito jovem...

Mas o garoto adormecera sentado, as mãos cuidadosamente dobradas na frente do corpo.

— Jake.

— *Sai!*

O som desta palavra na boca do garoto sobressaltou-o bastante, mas o pistoleiro não deixou a emoção transparecer na voz.

— Quando eu estalar os dedos, você vai acordar. Se sentirá calmo e revigorado. Entendeu bem?

— Sim.

— Então deite.

O pistoleiro tirou coisas do bolso e enrolou um cigarro. Algo estava se perdendo. Procurou a seu modo diligente, cuidadoso, e achou. O que se perdia era o enlouquecedor sentimento de pressa, a sensação de que poderia a qualquer momento ser deixado para trás, de que o rastro ia sumir e só lhe restaria a última e desgastada pegada de alguém. Tudo isso acabara e o pistoleiro se convencia, aos poucos, de que o homem de preto queria ser apanhado. *Cuidado com o homem que se finge de fraco.*

O que aconteceria agora?

A pergunta era vaga demais para despertar o seu interesse. Cuthbert a teria achado interessante, muito interessante (e provavelmente engraçada), mas Cuthbert era tão passado quanto o Chifre de sua Deschain, e o pistoleiro só podia continuar avançando do jeito que sabia.

Fumava contemplando o garoto, e sua mente voltou a Cuthbert, que estava sempre rindo (seguira rindo até sua morte), voltou a Cort, que nunca ria, e a Marten, que às vezes sorria — um sorriso fino, silencioso, que tinha seu próprio e inquietante brilho... como um olho que avança aberto no escuro e descobre sangue. E houvera o falcão, é claro. O falcão se chamava David, conforme a lenda do menino com a atiradeira. A única coisa que David conhecia, ele tinha certeza absoluta, era o impulso para o ataque, o assassinato, o terror. Como o próprio pistoleiro. David não era um amador; ele jogava no centro da quadra.

Exceto talvez no final.

O estômago do pistoleiro pareceu se comprimir dolorosamente contra o coração, mas sua expressão não se alterou. Viu a fumaça do cigarro subir no ar quente do deserto e desaparecer, e sua mente voltou ao passado.

8

O céu estava branco, perfeitamente branco, com cheiro de chuva forte no ar. O cheiro das cercas vivas e do verde brotando era doce. Era plena primavera, a época que alguns chamavam Terra Nova.

David estava pousado no braço de Cuthbert, um pequeno engenho de destruição com brilhantes olhos dourados que cintilavam para longe e para nada. A trela de couro cru presa em sua argola se enroscava negligentemente no braço de Bert.

Distante dos dois garotos, Cort era uma figura silenciosa que vestia uma calça de couro remendada e uma camisa verde de algodão cingida acima da cintura pelo largo e velho cinto de infantaria. O verde da camisa se misturava com as cercas e a ondulação do gramado das Quadras de Trás, numa época em que as senhoras ainda não tinham começado a participar das apostas.

— Se prepare — Roland murmurou para Cuthbert.

— Estamos prontos — Cuthbert respondeu confiante. — Não estamos, Davey?

Falavam a língua vulgar, que era tanto a língua dos ajudantes de cozinha quanto dos escudeiros; o tempo em que lhes seria permitido usar seu próprio idioma na presença de outros ainda estava longe.

— Um belo dia. Está sentindo o cheiro da chuva? É...

Cort ergueu subitamente as mãos com o alçapão e abriu a tampa lateral. Logo a pomba estava fora, alçando vôo para o céu numa rápida e nervosa rajada de suas asas. Cuthbert puxou a trela, mas foi lento; o falcão já estava solto e a partida foi desajeitada. O falcão se recuperou com uma breve contorção das asas. Atirou-se para cima, cortando pesadamente o ar, ganhando altitude sobre a pomba, movendo-se com uma rapidez de bala.

Cort avançou, sem fazer alvoroço, para onde estavam os garotos e acertou com um enorme punho virado a orelha de Cuthbert. O rapaz desabou sem dar um pio, embora os lábios tenham se afastado um pouco das gengivas. Um filete de sangue começou a escorrer devagar de sua orelha, caindo no exuberante gramado verde.

— Você foi lento, seu verme — disse Cort.

— Peço sua graça, Cort. — Cuthbert estava lutando para ficar de pé. — Foi só que eu...

Cort golpeou de novo e Cuthbert tornou a cair. Agora o sangue corria mais depressa.

— Fale a Língua Superior — ele disse em voz baixa. Um tom plano, ainda que com ligeira, embriagada aspereza. — Diga seu Ato de Contrição na língua da civilização pela qual homens melhores que você tantas vezes morreram, seu verme.

Cuthbert estava se levantando de novo. Lágrimas pairavam brilhantes em seus olhos, mas os lábios estavam comprimidos numa forte marca de ódio que não tremia.

— Lamento — disse Cuthbert num tom ofegante de autocontrole. — Esqueci o rosto de meu pai, cujos revólveres espero um dia carregar.

— Está bem, criança — respondeu Cort. — Vai pensar no que fez de errado e ter as reflexões estimuladas pela fome. Nada de jantar. Nada de café da manhã.

— Olhe! — Roland gritou. Apontou para cima.

O falcão ultrapassara a pomba que voava. Planou um instante com as asas curtas estendidas e sem movimento no ar puro e sereno da primavera. Depois dobrou as asas e caiu como pedra. Os dois corpos se encontraram e, por um momento, Roland pensou ver sangue no ar. O falcão deu um breve grito de triunfo. A pomba desceu num rodopio para o chão e Roland correu para o animal abatido, deixando Cort e o castigado Cuthbert para trás.

O falcão pousara ao lado da presa e rasgava festivamente o peito branco e gorducho. Algumas penas se agitavam e caíam devagar.

— David! — Roland gritou e jogou para o falcão um pedaço de carne de coelho que tirou do bolso. O falcão pegou-a em pleno vôo, ingeriu-a com uma sacudidela do lombo e da garganta, e o garoto tentou repor a trela no pássaro.

O falcão girou num movimento quase distraído, fazendo um corte comprido e irregular na pele do braço de Roland. Depois voltou à refeição.

Com um gemido, Roland atirou novamente a trela, agora imobilizando o bico agitado e afiado de David com a luva de couro que usava.

Deu ao falcão outro pedaço de carne e lhe pôs o capuz. Docilmente, David subiu em seu pulso.

Levantou-se orgulhoso com o falcão no braço.

— O que é isto, pode me dizer? — Cort perguntou apontando para o talho que sangrava no antebraço de Roland. O garoto se preparou para receber o golpe, bloqueando a garganta contra qualquer possível grito, mas não houve golpe.

— Ele me bicou — disse Roland.

— Você encheu o saco dele — disse Cort. — O falcão não tem medo de você, garoto, e nunca terá. O falcão é o pistoleiro de Deus.

Roland se limitou a olhar para Cort. Não era um rapaz imaginativo e se Cort havia tentado sugerir uma moral, perdera seu tempo; Roland interpretaria aquilo, no máximo, como um dos poucos comentários absurdos que ouvira de Cort.

Cuthbert veio se aproximando por trás e pôs a língua de fora para Cort, embora na segurança de seu traseiro. Roland não sorriu, mas abanou a cabeça para ele.

— Agora entrem — disse Cort, pegando o falcão. Virou-se e apontou para Cuthbert. — Mas lembre da reflexão que tem de fazer, seu verme. E de suas refeições. Hoje à noite e amanhã de manhã.

— Sim — disse Cuthbert, agora artificialmente formal. — Obrigado por este dia instrutivo.

— Você aprende — disse Cort —, mas sua língua tem o mau hábito de cair da boca estúpida quando o instrutor vira as costas. Talvez chegue o dia em que ela e você aprendam a ocupar seus respectivos lugares.

Deu novamente um soco em Cuthbert, desta vez bem no meio dos olhos e com força suficiente para Roland ouvir um baque surdo — o som que faz uma rolha de cortiça quando um ajudante de cozinha tapa um barril de cerveja. Cuthbert caiu para trás no gramado, os olhos a princípio vidrados, atordoados. Depois seus olhos clarearam e ele encarou Cort com um ar abrasador, o sorriso habitual e fácil sumido de todo, o ódio escancarado, uma pupila brilhante como o sangue da pomba no centro de cada olho. Abanou a cabeça e entreabriu os lábios num sorriso extremamente duro, que Roland nunca tinha visto.

— Mas há esperança para você — Cort continuou. — Quando achar que pode, venha me pegar, seu verme.

— Como ficou sabendo da língua? — disse Cuthbert entre os dentes.

Cort se virou para Roland tão depressa que ele quase caiu para trás — e então Roland se juntaria a Cuthbert no gramado, ajudando-o a decorar o verde recente com sangue.

— Vi a coisa refletida nestes olhos de verme — disse. — Lembre-se disso, Cuthbert Allgood. Última lição de hoje.

Cuthbert abanou de novo a cabeça, com o mesmo sorriso assustador no rosto.

— Lamento — disse ele. — Esqueci a face...

— Pare com essa merda — disse Cort, perdendo o interesse. Ele se virou para Roland. — Agora vão embora. Vocês dois. Se eu tiver de olhar para suas estúpidas caras de verme um minuto a mais, vou vomitar minhas tripas e perder um bom jantar.

— Vamos — disse Roland.

Cuthbert chacoalhou a cabeça para clareá-la e ficou de pé. Cort já estava descendo a colina com seu passo torto, atarracado, parecendo poderoso e um tanto pré-histórico. A mancha raspada e cinzenta no alto da cabeça brilhava.

— Vou matar o filho-da-puta — disse Cuthbert, ainda sorrindo. Um grande galo roxo e nodoso brotava misticamente em sua testa.

— Não vai e eu também não — disse Roland, irrompendo de repente num sorriso. — Pode jantar na cozinha do oeste comigo. O cozinheiro vai nos dar alguma coisa.

— Ele vai contar ao Cort.

— Ele não é amigo do Cort — disse Roland e sacudiu os ombros. — E daí, se contasse?

— Certo. Tudo bem. — Cuthbert retribuiu o sorriso. — Eu sempre quis saber como é o mundo quando se fica com a cabeça do avesso e de trás para a frente.

Iniciaram o caminho de volta pelos gramados verdes, atirando sombras na incrível limpidez da luz da primavera.

9

O cozinheiro na cozinha do oeste se chamava Hax. Parecia enorme dentro de seus aventais com manchas de comida. Era um homem de aparência rude, cujos ancestrais eram um quarto negros, um quarto amarelos, um quarto das hoje quase esquecidas Ilhas do Sul (o mundo mudara) e um quarto deus-sabe-o-quê. Circulava entre três aposentos enfumaçados, de teto alto, como um trator em primeira. Usava chinelos que lembravam pantufas. Era um desses adultos bastante raros que se comunicam razoavelmente bem com crianças pequenas e que amam imparcialmente todas elas — não de um jeito açucarado, mas de um modo prático e eficiente que pode, às vezes, resultar num abraço, assim como fechar um grande negócio pode implicar um aperto de mão. Também gostava dos meninos que estavam sendo iniciados no caminho das armas, embora eles fossem diferentes das outras crianças — reservados e sempre meio perigosos, não num sentido adulto, mas como crianças comuns com um leve toque de loucura. Bert não era o primeiro dos alunos de Cort que alimentava às escondidas. Naquele momento, estava parado na frente de seu enorme e precário fogão elétrico — um dos seis eletrodomésticos que haviam sobrado em toda a propriedade. Era seu domínio pessoal, e ele contemplava os dois garotos devorarem as fatias de carne assada que havia servido. Atrás dele, na frente e por toda a sua volta, ajudantes de cozinha, lavadores de pratos e vários outros subordinados corriam pelo ar esfumaçado e úmido, sacudindo panelas, mexendo guisados e tratando de batatas e vegetais nas profundezas do lugar. No círculo da copa, parcamente iluminado, uma faxineira com ar miserável, esgotado, e um lenço no cabelo, passava água no piso com um pano de chão.

Um dos rapazes da copa apareceu com um homem da Guarda a reboque.

— Este homem quer falar com você, Hax.

— Tudo bem. — Hax abanou a cabeça para o Guarda, que retribuiu o movimento. — Vocês, garotos, falem com a Maggie. Ela vai lhes dar um pouco de torta. Depois caiam fora. Não me arranjem problemas.

Mais tarde, os dois se lembrariam do que ele dissera: *Não me arranjem problemas.*

Eles sacudiram as cabeças e procuraram Maggie, que lhes serviu fatias imensas de torta em pratos de jantar — mas cautelosamente, como se fossem cachorros selvagens que pudessem mordê-la.

— Vamos comer embaixo da escada — disse Cuthbert.

— Está bem.

Sentaram-se atrás de uma enorme e suada colunata de pedra, fora da visão da cozinha, e começaram a devorar a torta com os dedos. Foi só momentos mais tarde que viram sombras descerem na distante parede curva da escadaria. Roland agarrou o braço de Cuthbert.

— Vamos — disse. — Está vindo alguém. — Cuthbert ergueu os olhos com uma expressão de surpresa manchada de comida.

Mas as sombras pararam. Era Hax e o homem da Guarda. Os rapazes ficaram onde estavam. Se fizessem algum movimento, poderiam ser ouvidos.

— ...o homem bom — o Guarda estava dizendo.

— Farson?

— Em duas semanas — o Guarda respondeu. — Talvez três. Você tem de vir conosco. Há um remessa do depósito de carga... — Um barulho particularmente alto de pratos e panelas e uma torrente de assobios dirigidos ao infeliz auxiliar que os deixara cair abafou um pouco do resto; então os rapazes ouviram o Guarda terminar: — ...carne envenenada.

— Arriscado.

— Não pergunte o que o homem bom pode fazer por você... — o Guarda começou.

— Mas o que você pode fazer por ele. — Hax suspirou. — Sem perguntas, soldado.

— Você sabe o que isto pode significar — disse o Guarda em voz baixa.

— Sei. E conheço minhas responsabilidades com relação a ele; não precisa me passar um sermão. Gosto dele exatamente como você. Você o seguiria para o mar se ele pedisse; eu também.

— Tudo bem. A carne estará marcada para estocagem a curto prazo em seu frigorífico. Mas você terá de ser rápido. Precisa entender isso.

— Há crianças em Taunton? — o cozinheiro perguntou. Não era realmente uma pergunta.

— Há crianças por toda parte — disse suavemente o Guarda. — É com as crianças que nós... e ele... estamos preocupados.

— Carne envenenada. Um modo muito estranho de cuidar de crianças. — Hax deu um suspiro pesado, sibilante. — Elas não vão ficar aterrorizadas, segurar as barrigas e gritar pelas mães? Aposto que vão.

— Será como se fossem dormir — disse o Guarda, mas a calma confiante de sua voz pareceu excessiva.

— É claro — disse Hax e riu.

— Você mesmo disse: "sem perguntas, soldado". Gosta de ver crianças sob o tacão das armas, quando podiam estar nas mãos dele, prontas para começar a construir um mundo novo?

Hax não respondeu.

— Entro de serviço em 20 minutos — disse o Guarda, a voz novamente calma. — Dê-me um pernil de carneiro e vou beliscar uma de suas garotas e fazê-la rir. Quando eu for embora...

— Meu carneiro não provocará cãibras em sua barriga, Robeson.

— Será que você... — Mas as sombras se afastaram e as vozes se perderam.

Eu poderia ter matado os dois, Roland pensou, imóvel e fascinado. *Poderia ter matado os dois com minha faca, cortado suas gargantas como porcos.* Olhou para as mãos, agora manchadas de molho e polpa de fruta, além da sujeira das lições do dia.

— Roland.

Olhou para Cuthbert. Os dois se encararam por um bom tempo na perfumada semi-escuridão, e um gosto quente de desespero subiu à garganta de Roland. O que ele sentia parecia ser um tipo de morte — algo tão brutal e definitivo quanto a morte da pomba no céu esbranquiçado sobre o campo de jogos. *Hax?*, pensou, perplexo. *Hax, que pôs um cataplasma na minha perna daquela vez? Hax?* E então sua mente se fechou bruscamente, encerrando o assunto.

O que ele viu, inclusive na expressão cômica e inteligente de Cuthbert, não foi nada demais — absolutamente nada. Os olhos de Cuthbert pareciam inertes ante a condenação de Hax. Nos olhos de Cuthbert, já era um fato consumado. Hax lhes dera comida, eles tinham ido comer embaixo da escada, e então Hax levara o Guarda chamado Robeson para o lado errado da cozinha naquele pequeno e traiçoeiro *tête-à-tête*. O Ka tinha funcionado como o ka às vezes fazia, inesperado como um pedregulho rolando pela ribanceira. Só isso.

Os olhos de Cuthbert eram olhos de pistoleiro.

10

O pai de Roland acabara de voltar das terras altas e parecia deslocado entre as cortinas e os adornos de gaze de seda do principal salão de recepções ao qual só recentemente, como reconhecimento de sua aprendizagem, o garoto tivera acesso.

Steven Deschain usava uma calça *jeans* preta e uma camiseta azul. A capa, cheia de manchas e poeira, rasgada até o forro em determinado lugar, estava jogada negligentemente sobre o ombro, sem nenhuma consideração pelo modo como isso e ele próprio se chocavam com a elegância do lugar. Steven era desesperadamente magro e o volumoso bigode pontudo parecia fazer pesar sua cabeça quando ele a baixava para o filho. Os revólveres cruzados sobre os lados de sua cintura caíam num ângulo perfeitamente adequado para as mãos, os cabos de madeira de sândalo usada parecendo opacos e sem vida na lânguida luz do salão.

— O cozinheiro-chefe — disse o pai em voz baixa. — Imagine! Os trilhos que foram dinamitados na estação terminal das montanhas. O gado morto em Hendrickson. E talvez até... imagine! Imagine! — Olhou mais atentamente para o filho. — Parecemos presas.

— Presas de falcão — disse Roland. Ele riu da assustadora exatidão da imagem, e não de qualquer leveza na situação.

Seu pai sorriu.

— É — continuou Roland. — Acho que eu também sou uma presa.

— Cuthbert estava com você — disse o pai. — A essa altura já contou ao pai dele.

— Sim.

— Hax alimentou vocês dois quando Cort...

— Sim.

— E Cuthbert. Ele também deve estar se sentindo uma presa, não acha?

— Não sei. — Nem se importava. Não estava preocupado em comparar suas sensações com as dos outros.

— Isso o deprime porque você sente que provocou a morte de um homem?

Roland deu de ombros com mau humor, subitamente desgostoso com aquela sindicância sobre suas motivações.

— Mesmo assim você contou. Por quê?

— Como poderia não contar? — Os olhos do rapaz se alargaram. — A traição era...

Seu pai sacudiu bruscamente a mão.

— Se agiu assim por algo tão barato quanto um conceito de livro escolar, foi um ato indigno. Eu teria preferido ver toda a Taunton envenenada.

— Eu não! — As palavras jorraram com violência. — Tive vontade de matá-lo... de matar os dois! Mentirosos! *Perversos* mentirosos! Serpentes! Eles...

— Continue.

— Foi uma afronta — ele concluiu, desafiador. — Eles mexeram em alguma coisa que dói. Tive vontade de matá-los por isso. Tive vontade de matá-los ali mesmo.

Seu pai abanou a cabeça.

— Uma reação crua, Roland, mas não indigna. Também não virtuosa, mas não cabe a você ser virtuoso. Na realidade... — Olhou firme para o filho. — Talvez a virtude esteja sempre além de seu alcance. Você não é rápido, como Cuthbert ou o filho de Vannay. Mas não faz mal. Isso o tornará formidável.

O garoto sentiu-se simultaneamente contente e perturbado.

— Ele vai ser...

— Ah, vai ser enforcado.

O garoto abanou a cabeça.

— Quero ver — disse.

Deschain pai atirou a cabeça para trás e riu alto.

— Não tão formidável quanto eu pensei... talvez só estúpido. — Fechou a boca de repente. Estendeu o braço e agarrou dolorosamente o antebraço do garoto. Roland fez uma careta, mas não recuou. O pai olhou-o atentamente e o garoto devolveu o olhar, embora fosse mais difícil fazer isso que colocar o capuz no falcão.

— Está bem — disse o pai —, você pode ver. — E virou-se abruptamente para sair.

— Pai?

— O quê?

— Você sabe de quem eles estavam falando? Sabe quem é o homem bom?

Seu pai se virou para trás e olhou-o com um ar de especulação.

— Sim. Acho que sei.

— Se você o pegasse — disse Roland no seu jeito pensativo, quase penoso —, acho que ninguém precisa ter o pescoço quebrado como o do cozinheiro.

Seu pai sorriu ligeiramente.

— Talvez por enquanto não. Mas, no final das contas, o pescoço de mais alguém, homem ou mulher, também terá de ser quebrado, segundo a curiosa expressão que você usou. As pessoas querem assim. Cedo ou tarde, se não surge outro renegado, as pessoas inventam um.

— Sim — disse Roland, apreendendo instantaneamente a idéia, uma das que jamais ia esquecer. — Mas se for o homem bom...

— Não vou pegá-lo — disse o pai secamente.

— Por que não? Isso não resolveria o problema?

Por um momento, seu pai pareceu à beira de dizer por quê, mas acabou balançando a cabeça.

— Já conversamos demais, eu acho. Vamos encerrar.

Teve vontade de pedir que o pai não esquecesse sua promessa quando chegasse o momento de Hax pisar no alçapão, mas sabia que os humores do pai eram delicados. Encostou o punho na testa, cruzou um pé na frente do outro e fez um cumprimento. Depois saiu, fechando rapidamente a porta. Desconfiava que o que seu pai queria agora era trepar. Tinha consciência de que a mãe e o pai faziam aquilo, e era razoavelmente bem informado sobre como era feito, mas a imagem mental que sempre se formava com o pensamento o deixava ao mesmo tempo inquieto e estranhamente culpado. Alguns anos mais tarde, Susan lhe contaria a história de Édipo, que ele absorveria em tranqüila meditação, pensando no estranho e sangrento triângulo formado por seu pai, sua mãe e Marten — conhecido em certas regiões como Farson, o homem bom. Ou talvez fosse um quadrilátero, se ele se acrescentasse a si próprio.

11

O Morro do Patíbulo ficava na Taunton Road, o que era agradavelmente poético; Cuthbert podia ter apreciado isso, mas Roland não. Cuthbert de fato apreciou o cadafalso esplendidamente sinistro que se elevava para o céu brilhantemente azul, um contorno anguloso projetado sobre a estrada de diligências.

Os dois garotos tinham sido dispensados dos Exercícios da Manhã — Cort lera atentamente os bilhetes dos pais deles, os lábios se movendo sem parar, a cabeça abanando aqui e ali. Ao terminar, arrumara cuidadosamente os papéis no bolso. Mesmo ali, em Gilead, o papel costumava ser valioso como ouro. Uma vez as duas folhas em segurança, ele ergueu os olhos para o azul-violeta do céu da aurora e tornou a abanar a cabeça.

— Esperem aqui — disse, e foi para a cabana de pedra meio torta que lhe servia de alojamento. Voltou com um pedaço de grosseiro pão ázimo, partiu-o em dois e deu a metade para cada um. — Quando terminar, cada um de vocês colocará isto embaixo dos sapatos dele. Prestem atenção para fazerem exatamente como estou dizendo ou parto a cara dos dois na semana que vem.

Só compreenderam ao chegar, depois de viajarem em marcha acelerada no garanhão de Cuthbert. Eram os primeiros, estavam duas horas inteiras na frente de todos os outros e faltavam quatro horas para o enforcamento. O Morro do Patíbulo ainda estava deserto — exceto pelos corvos e gralhas. Os pássaros estavam por toda parte. Pousavam ruidosamente na dura e comprida viga que pendia sobre o alçapão — a armação da morte. Os meninos pararam um ao lado do outro na beira da plataforma, acotovelando-se em busca de melhor posição nos degraus.

— Eles abandonam os corpos — Cuthbert murmurou. — Para os pássaros.

— Vamos subir — disse Roland.

— Lá *em cima?* — Cuthbert olhou-o com uma espécie de horror. — Você acha que...

Roland inerrompeu-o com um gesto das mãos.

— Chegamos *anos* adiantados. Ninguém vai ver.

— Está bem.

Avançaram lentamente para o último degrau e os pássaros esvoaçaram, grasnando e voando em círculos como uma multidão de raivosos camponeses expulsos da terra. Os corpos muito pretos se destacavam contra o límpido amanhecer no céu do Mundo Interior.

Pela primeira vez, Roland sentiu a dimensão de sua responsabilidade no caso; aquilo nem era madeira nobre, não era parte da assombrosa máquina da Civilização, mas apenas pinho empenado da Floresta do Baronato, pinho coberto de dejetos brancos de pássaro. Estavam salpicados por toda parte — degraus, cercas, plataforma — e cheiravam mal.

O garoto se virou para Cuthbert com olhos sobressaltados, horrorizados, e viu Cuthbert devolver-lhe um olhar com a mesma expressão.

— Não consigo — Cuthbert sussurrou. — Ro, não consigo ver isso.

Roland sacudiu lentamente a cabeça. Percebeu que havia uma lição ali, não uma coisa brilhante, mas algo velho, enferrujado e disforme. Fora por isso que seus pais os tinham deixado ir. E com a persistência habitual, a muda teimosia, Roland começou mentalmente a agarrar o que quer que aquilo pudesse significar.

— Você consegue, Bert.

— Não vou dormir esta noite.

— Então não vai — disse Roland, não vendo o que uma coisa tinha a ver com outra.

De repente, Cuthbert pegou a mão de Roland e olhou-o com tamanha agonia, ainda que silenciosa, que a dúvida do próprio Roland voltou e, ansioso, ele lamentou que tivessem ido à cozinha do oeste naquela noite. Seu pai tinha razão. Teria sido melhor não saber. Teria sido melhor ver cada homem, mulher e criança de Taunton morto e fedendo.

Mas mesmo assim. Contudo. Por mais que a lição fosse brutal, como algo meio enterrado com pontas enferrujadas e afiadas, não deixaria a coisa escapar, não afrouxaria o controle que mantinha sobre ela.

— Não vamos subir — disse Cuthbert. — Já vimos tudo.

E Roland abanou a cabeça com relutância, sentindo o controle sobre aquela coisa — o que quer que ela fosse — se enfraquecer. Cort, ele sabia, mataria os dois de pancada e depois os obrigaria a subir na plataforma passinho por passinho... cheirando o sangue fresco com os narizes e as gargantas como uma geléia salgada. Cort provavelmente colocaria uma nova corda de forca sobre a ponta da viga e poria o laço em volta de seus pescoços, fazendo-os ficar de pé sobre o alçapão; e Cort estaria pronto para golpeá-los se chorassem ou perdessem o controle da bexiga. Cort, é claro, estaria certo. Pela primeira vez na vida, Roland se sentiu detestando sua própria criancice. Ansiou tremendamente pela idade avançada.

Com cuidado, tirou uma lasca da cerca e colocou-a no bolso interno da jaqueta antes de se virar.

— Por que você fez isso? — perguntou Cuthbert.

Ele quis dar alguma resposta arrogante: *Ah, a madeira da sorte das forcas...*, mas se limitou a olhar para Cuthbert e balançar a cabeça.

— Só para ter — disse. — Para ter para sempre.

Afastaram-se da força, sentaram-se e ficaram à espera. Em cerca de uma hora, começaram a se reunir as primeiras pessoas da cidade, principalmente famílias que haviam chegado em carroções quebrados e surrados carros de boi trazendo seus lanches — cestas de panquecas frias com recheio de geléia de cogumelos. Roland sentiu o estômago roncar de fome e tornou a se perguntar, com desespero, onde estavam a honra e a nobreza. Tinham-lhe ensinado essas coisas, e ele era agora forçado a avaliar se não passavam de completas mentiras, ou se seriam tesouros profundamente enterrados pelos sábios. *Queria* acreditar nessa segunda hipótese, mas lhe parecia que Hax, com seus aventais sujos, andando de um lado para o outro na cozinha nebulosa e subterrânea, gritando com os ajudantes, tinha mais honra que a contida naquele patíbulo. Girou a lasca de madeira, enjoado e intrigado. Cuthbert estava parado a seu lado com ar impassível.

12

No final, não foi assim tão grande coisa, e Roland ficou satisfeito. Hax foi conduzido num carro aberto, mas só sua enorme barriga o denunciava; os olhos tinham sido vendados com o largo pano preto que descia sobre o rosto. Alguns atiravam pedras, mas a maioria continuava simplesmente fazendo seu lanche enquanto assistia.

Um pistoleiro que o garoto não conhecia muito bem (estava contente que o pai não viesse carregando a pedra negra) conduziu com cuidado o gordo cozinheiro pelos degraus. Dois Guardas da Vigília tinham seguido à frente e se colocado de um lado e do outro do alçapão. Quando Hax e o pistoleiro atingiram o topo, o pistoleiro atirou a corda sobre a viga e passou o laço pela cabeça do cozinheiro, puxando o nó até logo abaixo da orelha esquerda. Todos os pássaros tinham voado, mas Roland sabia que estavam à espera.

— Deseja fazer uma confissão? — perguntou o pistoleiro.

— Não tenho nada a confessar — disse Hax. Suas palavras foram bem nítidas e o tom singularmente digno, apesar da mordaça de pano que passava em seus lábios. O pano se franzia um pouco na brisa leve e agradável que havia soprado. — Não esqueci a face de meu pai; ela tem estado o tempo todo comigo.

Roland deu uma olhada atenta na multidão e ficou perturbado com o que viu — um sentimento de simpatia? De admiração, talvez? Perguntaria isso ao pai. Quando traidores são considerados heróis (ou heróis traidores, conjecturava ele franzindo as sobrancelhas), os tempos sombrios devem ter chegado. Tempos sombrios, de fato. Gostaria de ter compreendido melhor. Sua mente disparou para Cort e o pão que Cort lhes dera. Sentiu desprezo; estava chegando o dia em que Cort o serviria. Talvez não Cuthbert; talvez Bert tivesse de continuar curvado ao tacão de Cort, permanecendo como pajem ou cavalariço (ou, infinitamente pior, como um diplomata perfumado, flertando em salões de recepção ou olhando em falsas bolas de cristal com princesas e reis senis), mas ele não. Sabia disso. Ele era feito para os campos abertos e as longas viagens. Que isso parecesse um *bom* destino era algo que, mais tarde, em sua solidão, iria enchê-lo de espanto.

— Roland?

— Estou aqui. — Ele pegou a mão de Cuthbert e os dedos dos dois se fecharam uns nos outros como ferro.

— A acusação é de crime capital e sedição — disse o pistoleiro. — Você cruzou a linha branca, e eu, Charles filho de Charles, o confio eternamente à escuridão.

A multidão murmurou, alguns protestando.

— Eu nunca...

— Conte essa história no mundo subterrâneo, seu verme — disse Charles de Charles, e puxou a alavanca com as duas mãos calçadas com luvas amarelas.

O alçapão se abriu. Hax caiu na vertical, ainda tentando falar. Roland nunca esqueceu disso. O cozinheiro desceu *ainda tentando falar.* E onde seria concluída a última frase que começou a dizer na terra? As palavras foram encerradas pelo alçapão, como um estouro de madeiras de pinho no coração frio das noites de inverno.

Na hora não ficou pensando muito naquilo. As pernas do cozinheiro se debateram uma vez, formando um grande Y; a multidão produziu um ruído sibilante de satisfação; os Guardas da Vigília relaxaram no porte militar e começaram a recolher negligentemente as coisas do patíbulo. Charles filho de Charles desceu lentamente os degraus, subiu no cavalo e partiu, abrindo bruscamente caminho por um grupo de pessoas fazendo piquenique, chicoteando algumas das carroças mais lentas, fazendo-as disparar.

A multidão se dispersou rapidamente e, em 40 minutos, os dois garotos estavam sozinhos no pequeno morro que tinham escolhido. Os pássaros voltavam para examinar seu novo troféu. Um deles pousou no ombro de Hax e ali continuou como amigo íntimo, golpeando com o bico a brilhante, lustrosa argola que Hax sempre usara na orelha direita.

— Não está nada parecido com ele — disse Cuthbert.

— Ah, está sim — disse Roland confiante enquanto caminhavam para o patíbulo, com o pão nas mãos. Bert parecia estar com medo.

Pararam embaixo da viga, erguendo os olhos para o corpo retorcido, que balançava. Cuthbert estendeu a mão e, desafiante, tocou num tornozelo peludo. O corpo começou a executar um novo arco retorcido.

Então, rapidamente, partiram o pão e espalharam os pedaços sob os pés oscilantes. Roland olhou só uma vez para trás enquanto se afastavam. Agora havia milhares de pássaros. O pão — percebeu isso um tanto vagamente — era simbólico, então.

— Foi bom — disse de repente Cuthbert. — Foi... Eu... Eu gostei. Gostei mesmo.

Roland não ficou chocado ouvindo isto, embora a cena não tivesse lhe parecido particularmente agradável. Mas achou que talvez pudesse compreender o que Bert estava dizendo. Talvez ele não fosse acabar como diplomata, mesmo sendo bom para contar piadas e jogar conversa fora.

— Não sei bem o que achei — disse —, mas valeu a pena. Certamente valeu.

A terra não se abriu aos pés do homem bom por outros cinco anos e, na época em que Roland se tornou pistoleiro, seu pai já estava morto, ele próprio se transformara num matricida... e o mundo seguira adiante.

Os longos anos e as longas viagens haviam começado.

13

— Olhe — disse Jake, apontando para cima.

O pistoleiro ergueu a cabeça e sentiu uma pontada no quadril direito. Estremeceu. Estavam há dois dias no sopé das montanhas e, embora os cantis estivessem de novo quase vazios, isso já não importava. Logo teriam toda a água que pudessem beber.

Seguiu o vetor do dedo de Jake apontando para o alto, para além do patamar do planalto verde até os rochedos estéreis, cintilantes, e os desfiladeiros mais acima... e ainda além, na direção da própria calota de neve.

O pistoleiro avistou o homem de preto. Tênue e distante, nada além de uma pequena mancha (se não fosse por sua constância, poderia ter sido confundido com um daqueles corpúsculos que dançam perpetuamente diante dos olhos). Subia as encostas num progresso letal, minúscula mosca numa enorme parede de granito.

— É ele mesmo? — perguntou Jake.

O pistoleiro fitava o despersonalizado corpúsculo fazendo a distante acrobacia. Sentia apenas uma premonição de desgraça.

— É ele, Jake.

— Acha que vamos pegá-lo?

— Não deste lado. Do outro. E não se ficarmos aqui parados falando sobre isso.

— É tudo tão alto — disse Jake. — O que há do outro lado?

— Não sei — disse o pistoleiro. — Acho que ninguém sabe. Talvez antigamente soubessem. Vamos lá, garoto.

Começaram de novo a subir, fazendo cair pequenos filetes de pedra e areia no deserto escavado atrás deles. Uma torrente de restos, mortiça e crestada pelo sol, que parecia nunca acabar. Acima deles, bem acima, o homem de preto avançava mais e mais e mais. Era impossível saber se olhava para trás. Parecia saltar por impossíveis abismos, escalar paredões. Desapareceu uma vez ou duas, mas tornavam sempre a vê-lo, até que uma cortina violeta de escuridão tirou-o definitivamente de vista. Enquanto faziam a fogueira para a noite, o garoto falou pouco e o pistoleiro se perguntou se o garoto sabia o que ele próprio já havia intuído. Pensou na expressão de Cuthbert, ardente, amedrontada, nervosa. Pensou no pão. Pensou nos pássaros. Acaba assim, ele pensou. Costuma sempre acabar assim. Há buscas e trilhas que conduzem sempre para a frente, e todas elas terminam no mesmo lugar — no território da morte.

Exceto, talvez, a estrada para a Torre. Onde o ka pode mostrar sua verdadeira face.

O garoto, a vítima, com o rosto inocente e tão jovem sob a luz da diminuta fogueira, adormecera sobre os feijões que comia. O pistoleiro agasalhou-o com o cobertor do cavalo e depois se enroscou para dormir também.

Capítulo 3

O Oráculo e as Montanhas

1

O garoto encontrou o oráculo e isso quase o destruiu.

Algum vago instinto trouxe o pistoleiro do sono para a escuridão aveludada que caíra sobre eles ao entardecer. Ele e Jake haviam chegado ao oásis cheio de relva, uma área quase plana após a primeira estirada pelos morrotes caóticos. Mesmo durante a dura subida, onde fora preciso conquistar, lutar por cada centímetro no sol assassino, tinham conseguido ouvir o som dos grilos friccionando as patas e se agrupando sedutoramente no eterno verde do bosque de salgueiros acima deles. O pistoleiro permanecia mentalmente calmo, e o garoto conservara pelo menos uma fachada tranqüila, o que deixara o pistoleiro orgulhoso. Mas Jake não fora capaz de ocultar a agitação nos olhos, que eram diretos e puros, olhos de um cavalo sentindo o cheiro da água, mas impedido de disparar pela tênue rédea da vontade de seu dono; um cavalo no ponto em que só a compreensão, não a espora, pode mantê-lo firme. O pistoleiro podia avaliar a ansiedade de Jake pela loucura que o ruído dos grilos provocava em seu próprio corpo. Os braços pareciam procurar xisto onde se esfolar e os joelhos pareciam implorar para serem rasgados em talhos pequenos, enfurecidos, salgados.

O sol espezinhou-os por todo o caminho; mesmo ao se converter num vermelho inchado e febril com o crepúsculo, continuou brilhando perversamente nos cumes afiados das colinas à esquerda deles, um brilho que os ofuscava e continuava transformando cada gota de suor num prisma de dor.

Então apareceu a tiririca: a princípio, só moitas amareladas, aderindo com terrível vitalidade ao solo descampado, mas atingido pelas últimas águas que vinham das vertentes. Mais para cima, havia grama do campo, primeiro esparsa, depois verde e abundante... em seguida, o doce aroma da verdadeira grama, misturada com braquiária, à sombra dos primeiros pinheiros anões. Ali o pistoleiro viu um contorno marrom se deslocando nas sombras. Sacou o revólver, atirou e abateu o coelho muito antes que Jake pudesse começar a gritar de surpresa. Um momento depois, a arma já voltara ao coldre.

— Fique aqui — disse o pistoleiro. Bem acima, a grama se adensava numa selva de salgueiros novos, coisa impressionante depois da esterilidade seca da interminável terra dura. Haveria uma nascente, talvez muitas, e seria ainda mais fresco, mas era melhor estar ali, no aberto. O garoto tinha avançado cada passo que podia dar e talvez existissem morcegos sugadores de sangue nas sombras mais escuras do arvoredo. Os morcegos podiam interromper o sono de um garoto, por mais profundo que fosse, e se fossem vampiros, o garoto não despertaria mais... pelo menos não neste mundo.

— Vou pegar um pouco de lenha — disse Jake.

— Não vai, não. — O pistoleiro sorriu. — Não saia do seu banquinho, Jake.

Quem falava assim? Uma mulher. Susan? Não conseguia lembrar. *O tempo é o ladrão da memória:* esse ditado ele conhecia. Era de Vannay.

O garoto ficou sentado. Quando o pistoleiro tornou a olhar, Jake havia adormecido na grama. Um grande louva-a-deus fazia abluções nas gotas que brotavam nos fios do seu topete. O pistoleiro deu uma risada alta (a primeira em deus sabe quanto tempo), acendeu a fogueira e foi atrás de água.

O bosque de salgueiros era mais espesso do que ele suspeitara e deixava a pessoa desnorteada na luz declinante. Mas ele encontrou uma fonte exuberantemente guardada por sapos e rãs. Encheu um dos cantis... e prestou atenção. Os sons que enchiam a noite despertaram nele uma incômoda sensualidade, uma sensação que nem mesmo Allie, a mulher com quem havia dormido em Tull, fora capaz de despertar — afinal, ele desperdiçara boa parte do tempo com Allie em conversa séria. Atribuía essa sensação à repentina e atordoante saída da atmosfera do deserto. Após tantos quilômetros de terra dura e árida, a suavidade daquele crespúsculo parecia quase insalubre.

Voltou para perto da fogueira e esfolou o coelho enquanto a água fervia. Misturado com o resto dos vegetais em conserva, o coelho deu um excelente guisado. Acordou Jake e viu-o comer, meio tonto mas voraz.

— Ficamos aqui até amanhã — disse o pistoleiro.

— Mas aquele homem de quem você está atrás... aquele padre...

— Não é padre. E não se preocupe. Ele vai esperar.

— Como você sabe?

O pistoleiro pôde apenas balançar a cabeça. A intuição era forte... mas não era uma boa intuição.

Após a refeição, passou água nas latas onde tinham comido (outra vez maravilhado com essas extravagâncias com a água) e, quando olhou para trás, Jake havia adormecido de novo. O pistoleiro sentiu o agora familiar sobe e desce no peito do garoto, que lembrava o de Cuthbert. Este último tinha a mesma idade de Roland, mas parecia ser bem mais jovem.

O cigarro tombou em direção à grama e ele o atirou na fogueira. Ficou observando como o amarelo da chama queimava com limpidez, muito diferente do modo como ardia a erva do diabo. O ar estava incrivelmente fresco, e ele se deitou de costas para o fogo.

Ao longe, através do corte que abria caminho para as montanhas, ouviu o rugir pesado do incessante trovão. Dormiu. E sonhou.

2

Susan Delgado, sua amada, estava morrendo diante de seus olhos.

Ele via tudo com os braços seguros por dois aldeões e o pescoço laçado numa enorme e enferrujada coleira de ferro. Não era assim que tinha acontecido — ele nem mesmo estivera lá —, mas os sonhos têm sua própria lógica, não é?

Ela estava morrendo. Pôde sentir seu cabelo queimando, pôde ouvir seus gritos. E pôde ver a cor de sua própria loucura. Susan, moça adorável à janela, filha de cavaleiro. Como ela galopava pela Baixa, a sombra uma mistura de cavalo e moça, criatura fabulosa saída de uma velha história, coisa selvagem e livre! Como eles galopavam juntos pelo milharal! Agora estavam lhe atirando palha de milho e a palha pegava fogo antes mesmo de se prender no cabelo dela. Árvore de Charyou, árvore de Charyou, *gritavam eles, aqueles inimigos da luz e do amor e, em algum lugar, a bruxa cacarejava. Rhea, era esse o nome da bruxa, e Susan ia ficando negra nas chamas, a pele estalando e se abrindo e...*

E o que ela estava dizendo?

— O garoto! — gritava. — Roland, o garoto!

Ele girou, puxando seus captores. A coleira rasgou seu pescoço, e ele ouviu os arrancos, os sons estrangulados que saíam de sua própria garganta. Havia um cheiro enjoativamente adocicado de carne de churrasco no ar.

O garoto o olhava de uma janela bem acima da pira funerária, a mesma janela onde Susan, que o ensinara a ser um homem, tinha um dia se sentado para cantar as velhas canções: "Hey Jude", "Ease on Down the Road" e "Careless Love". O garoto olhava pela janela como a estátua de um santo de alabastro numa catedral. Seus olhos eram de mármore. Um cravo havia sido enterrado na testa de Jake.

O pistoleiro sentiu o grito dilacerante, sufocante que assinalava o início de sua loucura, brotando do fundo da barriga.

— Nnnnnnnnn...

3

Roland resmungou um grito quando sentiu o fogo chamuscá-lo. Sentou-se com as costas bem retas no escuro, ainda sentindo o sonho dos Mejis ao seu redor, estrangulando-o como a coleira que usara. Em suas contorções e guinadas, encostara a mão nas brasas agonizantes do fogo. Agora punha a mão no rosto, sentindo o sonho escapar, deixando apenas a rígida imagem de Jake, branco como gesso, um santo para demônios.

— *Nnnnnnnnn...*

Olhou ao redor para a mística escuridão do bosque de salgueiros, os dois revólveres empunhados e prontos. Seus olhos eram seteiras vermelhas no último clarão do fogo.

— *Nnnnnnnnn...*

Jake.

O pistoleiro estava em pé e correndo. Um árido círculo de luar tinha brotado e ele pôde seguir o rastro do garoto no orvalho. Enfiou-se sob os primeiros salgueiros, chapinhou pela fonte e, derrapando na umidade, alcançou a margem oposta (mesmo agora seu corpo ainda podia saborear isto). Galhos de salgueiros lhe batiam no rosto. As árvores estavam mais densas, e a lua, embaçada. Troncos de árvores brotavam em sombras repentinas. A relva, agora na altura do joelho, o acariciava, como se pedisse que andasse mais devagar, desfrutando o frescor. Desfrutando a vida. Galhos mortos e semi-apodrecidos se estendiam para suas pernas, suas *canelas*. Parou um instante, erguendo a cabeça e cheirando o ar. Uma brisa etérea veio em seu auxílio. O garoto não cheirava bem, é claro; nenhum dos dois. As narinas do pistoleiro brilhavam como as de um macaco. O odor mais leve e mais jovem do suor do garoto era um filete oleoso, inconfundível. Avançou contra um amontoado de relva, caules de amoreira e galhos caídos, disparou por um túnel de chorões e arbustos. O musgo atingia seus ombros como mãos flácidas de cadáver, e em algumas era possível sentir ansiosos dedinhos cinzentos.

Abriu caminho com dificuldade entre uma última barricada de salgueiros e chegou a uma clareira coberta pelas estrelas e pelo pico mais alto da cadeia, que brilhava como um crânio branco numa altitude absurda.

Havia um círculo de pedras negras na vertical que lembravam, sob o luar, algum tipo de armadilha animal surrealista. No centro, havia uma mesa de pedra... um altar. Muito antigo, erguendo-se do chão sobre uma grossa viga de basalto.

O garoto estava parado diante dela, oscilando de um lado para o outro. As mãos balançavam ao lado do corpo como se impregnadas de eletricidade estática. O pistoleiro chamou o nome dele com energia e Jake respondeu com um inarticulado som de resistência. O débil traçado do rosto, quase escondido pelo ombro esquerdo, parecia simultaneamente aterrorizado e exaltado. E havia mais alguma coisa.

O pistoleiro pisou dentro do círculo e Jake gritou, recuando e atirando os braços para cima. Agora seu rosto podia ser visto claramente. O pistoleiro percebeu o medo e o terror em disputa com algum excruciante prazer.

Sentiu que estava sendo tocado — pelo espírito do óraculo, o súcubo. Suas entranhas pareceram subitamente cheias de luz, uma luz suave, mas dura. Sentiu a própria cabeça torcendo, a língua engrossando, tornando-se sensível à saliva que a cobria.

Não pensou no que estava fazendo quando tirou o maxilar meio podre do bolso, o maxilar que encontrara na toca do demônio falante do posto de parada. Não pensou, mas nunca tivera medo de agir movido pelo puro instinto. Fora sempre esse seu melhor e mais verdadeiro modo de operar. Manteve o sorriso congelado, pré-histórico do maxilar diante dos olhos, estendendo o braço livre rigidamente, o primeiro e o último dedos esticados no antigo sinal do forcado, a proteção contra o mau-olhado.

A corrente de sensualidade afastou-se dele como uma cortina sendo aberta.

Jake tornou a gritar.

O pistoleiro avançou e pôs o maxilar na frente dos olhos alucinados de Jake.

— Olhe para isto, Jake... Olhe muito bem.

O que veio em resposta foi um som pastoso de agonia. O garoto tentou desviar o olhar, não conseguiu. Por um momento, pareceu que Jake ia desintegrar — mentalmente, se não fisicamente. Então, de repente, os dois olhos rolaram para cima e ficaram brancos. Jake perdeu os sentidos. Seu corpo bateu flacidamente na terra, uma das mãos quase tocando a atarracada viga de basalto que suportava o altar. O pistoleiro apoiou um joelho no chão e levantou o garoto. Estava incrivelmente leve, desidratado como uma folha de novembro por causa da longa caminhada através do deserto.

À sua volta, Roland pôde sentir a presença que habitava o círculo de pedras se agitando com ira ciumenta — a presa lhe estava sendo tirada. Contudo, assim que o pistoleiro ultrapassou o círculo, a sensação de ciúme e frustração se extinguiu rapidamente. Ele conduziu Jake de volta à fogueira. No momento em que chegaram lá, a agitada inconsciência do garoto já se transformara em sono profundo.

O pistoleiro parou um instante na frente das cinzas do fogo. O luar no rosto de Jake lhe trouxe novamente à memória um santo de igreja, uma inocente imagem de alabastro totalmente desconhecida. Abraçou o garoto e lhe deu um beijo seco no rosto. Agora sabia como gostava dele. Bem, talvez não fosse bem assim. Talvez a verdade fosse que gostara do garoto desde o primeiro momento (como tinha gostado de Susan Delgado) e simplesmente ainda não se permitira admitir o fato. Pois *era* um fato.

E achou que podia quase sentir o riso do homem de preto, em algum lugar bem acima deles.

4

Jake o chamava: foi assim que o pistoleiro acordou. Amarrara Jake firmemente a um dos resistentes arbustos que cresciam por perto, e o garoto estava faminto e nervoso. Pelo sol, eram quase nove e meia.

— Por que me amarrou? — perguntou Jake num tom indignado, enquanto o pistoleiro afrouxava os grossos nós no cobertor. — Eu não ia fugir!

— Você *já* fugiu — disse o pistoleiro e a expressão no rosto de Jake o fez sorrir. — Tive de ir pegá-lo. Estava andando dormindo.

— Estava? — Jake o olhou com ar desconfiado. — Nunca fiz uma coisa dessas em toda...

De repente, o pistoleiro mostrou o maxilar, mantendo-o na frente do rosto de Jake. Jake se esquivou dele, fazendo careta e erguendo o braço.

— Está vendo?

Jake abanou a cabeça, confuso.

— O que aconteceu?

— Agora não podemos confabular. Vou ter de me ausentar algum tempo. Talvez fique o dia inteiro fora. Então me escute, garoto. É importante. Se a noite cair e eu não estiver de volta...

— Você está me abandonando! — O medo brotou no rosto de Jake.

O pistoleiro só o olhava.

— Não — disse Jake após um momento. — Acho que, se fosse me abandonar, já o teria feito.

— Isso é usar a cabeça. Agora escute e preste muita atenção. Quero que fique aqui enquanto eu estiver fora. Bem aqui na fogueira. Não comece a rodar por aí, mesmo que lhe pareça a melhor idéia do mundo. E se começar a se sentir estranho... esquisito de alguma forma... pegue este osso e não o tire das mãos.

Irritação e repugnância, misturadas com perplexidade, cruzaram o rosto de Jake.

— Eu não vou conseguir. Eu... eu simplesmente não vou conseguir.

— Vai conseguir. Tem de conseguir. Especialmente depois do meio-dia. É importante. Pode sentir vontade de vomitar ou dor de cabeça quando segurar o osso pela primeira vez, mas isso passa. Está entendendo?

— Sim.

— E vai fazer o que estou dizendo?

— Vou, mas por que você tem de sair daqui? — Jake explodiu.

— Porque é preciso.

O pistoleiro captou outro fascinante lampejo do aço que jazia sob a superfície do garoto, tão enigmático quanto a história que ele contara sobre ter vindo de uma cidade onde as casas eram tão altas que chegavam a arranhar o céu. Não era Cuthbert que o garoto lhe trazia à memória, mas principalmente seu outro amigo, Alain. Alain era tranqüilo, nada propenso ao exibicionismo charlatão de Bert; era digno de confiança e não tinha medo de nada.

— Tudo bem — disse Jake.

O pistoleiro depositou cuidadosamente o maxilar no chão, perto das cinzas do fogo, onde ele ficou sorrindo na relva como um fóssil marcado pela erosão, um fóssil vendo a luz do dia após uma noite de cinco mil anos. Jake não olhava para ele. Tinha uma expressão pálida e angustiada. O pistoleiro se perguntou se seria útil pôr o garoto para dormir e interrogá-lo; depois concluiu que o benefício seria pequeno. Sabia muito bem que o espírito do círculo de pedras era um demônio e muito provavelmente também um oráculo. Um demônio sem contorno, uma espécie de chama sexual sem forma, mas com o olho da profecia. Por um instante, desconfiou que pudesse ser a alma de Sylvia Pittston, a gigantesca mulher cujas pregações religiosas tinham levado ao último acerto de contas em Tull... mas não. Não era ela. As pedras no círculo eram antigas. Sylvia Pittston era uma garota de recados comparada com a coisa que ali fazia sua toca. Uma coisa antiga... e furtiva. Mas o pistoleiro conhecia muito bem os modos da coisa e achava que o garoto não teria de usar o sujo maxilar. A voz e a intenção do oráculo teriam mais o que fazer do que se preocupar com ele. O pistoleiro precisava conhecer os detalhes, apesar do risco... e o risco era alto. Contudo, tanto para Jake quanto para ele próprio, precisava desesperadamente saber.

Abriu a caixa de tabaco e tateou por ela, colocando de lado os filamentos de folha até chegar ao minúsculo objeto enrolado num fragmento de papel branco. Rolou-o entre dedos que logo se fecharam sobre ele e olhou com ar ausente para o céu. Depois, desenrolou o papel e exibiu o conteúdo na palma da mão: uma pequena pílula branca com bordas que tinham ficado bem irregulares por causa da viagem.

Jake olhou com curiosidade.

— O que é?

O pistoleiro riu secamente.

— A história que Cort costumava nos contar era que os Velhos Deuses mijaram no deserto e criaram a mescalina.

Jake só parecia confuso.

— É uma droga — disse o pistoleiro. — Mas não uma droga que o faça dormir. Ela o deixa muito bem acordado por um certo tempo.

— Como o LSD — concordou o garoto instantaneamente, mas logo pareceu confuso.

— O que é LSD?

— Não sei — disse Jake. — Isso me ocorreu de repente. Acho que veio de... você sabe, de antes.

O pistoleiro aquiesceu, mas estava em dúvida. Nunca vira ninguém se referir à mescalina como LSD, nem mesmo nos velhos livros de Marten.

— Pode lhe fazer mal? — Jake perguntou.

— Nunca fez — disse o pistoleiro, consciente da resposta evasiva.

— Não gosto disso.

— Não importa.

O pistoleiro se agachou na frente do cantil, tomou um gole e engoliu a pílula. Como de hábito, sentiu uma imediata reação na boca: ela pareceu repleta de saliva. Sentou-se na frente da fogueira apagada.

— Quando vai acontecer alguma coisa? — perguntou Jake.

— Não vai demorar muito. Fique quieto.

Então Jake ficou quieto, observando com franca suspeita o pistoleiro empreender calmamente o ritual de limpar os revólveres. Tornou a colocá-los nos coldres.

— Sua camisa, Jake — disse ele. — Tire e me dê.

Jake passou relutantemente a camisa desbotada pela cabeça, revelando o magro desenho das costelas. Entregou-a a Roland.

O pistoleiro pegou a agulha que trazia enfiada na costura lateral da calça *jeans* e tirou uma linha de um cartucho vazio no cinturão. Começou a coser um longo rasgado numa das mangas da camisa do garoto. Quando terminou e devolveu a camisa, sentiu a mescalina fazendo efeito — houve um aperto em seu estômago e a sensação de que todos os músculos do corpo estavam sendo retesados um ponto a mais.

— Tenho de ir — disse ele ficando em pé. — Está na hora.

O garoto quase se levantou, seu rosto uma sombra de preocupação, e depois tornou a sentar.

— Tome cuidado — disse ele. — Por favor.

— Não esqueça do maxilar — disse o pistoleiro. Pôs a mão na cabeça de Jake, quando passou, e despenteou o cabelo cor de espiga de milho. O gesto despertou nele um riso breve. Jake ficou olhando com um sorriso confuso até o pistoleiro desaparecer na mata de salgueiros.

5

O pistoleiro caminhou lentamente para o círculo de pedras, parando o tempo suficiente para tomar um gole fresco da fonte. Viu seu próprio reflexo num pequeno lago cercado de musgo e nenúfares, e contemplou-se por um momento, fascinado como Narciso. A reação mental começava a se definir, retardando a cadeia de pensamentos e aparentemente intensificando as conotações de cada idéia e de cada fragmento de fluxo sensorial. As coisas começavam a ganhar um peso e uma textura até então invisíveis. Ele hesitou, depois tornou a se levantar e olhou através do denso emaranhado de salgueiros. A luz do sol caía obliquamente numa faixa dourada, poeirenta, e antes de continuar ele apreciou por alguns instantes o movimento dos ciscos e das minúsculas coisas voadoras.

A droga o havia perturbado muitas vezes: seu ego era demasiado forte (ou talvez apenas demasiado simples) para gostar de ser eclipsado, rejeitado, transformado num alvo para emoções mais sensíveis — elas lhe faziam cócegas (e às vezes o enlouqueciam) como o toque de um bigode de gato. Mas desta vez ele se sentia razoavelmente calmo. Isso era bom.

Penetrou na clareira e foi direto para o círculo. Ficou parado, deixando a mente livre. Sim, agora estava vindo mais forte, mais rápido. A relva o inundava de verde; parecia que se ele se curvasse e esfregasse as mãos na relva, ficaria com verde pintado por todos os dedos e palmas das mãos. Resistiu ao impulso travesso de tentar o experimento.

Mas nenhuma voz vinha do oráculo. Nenhum estímulo, sexual ou qualquer outro.

Foi até o altar, parou um instante a seu lado. Um pensamento coerente era agora quase impossível. Seus dentes pareciam estranhos em sua cabeça, pequenas lápides fincadas em terra úmida e rosada. O mundo continha luz em excesso. Subiu no altar e se deitou de costas. A mente estava se tornando uma selva cheia de estranhos pensamentos-plantas que nunca vira, ou de cuja existência nunca suspeitara, uma selva de salgueiros que tinham crescido ao redor de uma fonte de mescalina. O céu era água e ele ficou suspenso nela. O pensamento lhe trouxe uma vertigem que pareceu uma sensação remota e sem importância.

Um trecho de poema antigo lhe ocorreu, agora não num tom de ninar, não; sua mãe temera as drogas e a necessidade delas (assim como temera Cort e a necessidade daquele espancador de garotos); os versos vinham do folclore *manni*, ao norte do deserto, onde um clã ainda vivia entre máquinas que geralmente não funcionavam... e que às vezes comiam os homens quando o faziam. Os versos brotavam repetidas vezes, lembrando-o (de um modo desconexo, típico do delírio da mescalina) da neve caindo num globo que possuíra quando criança, místico e meio fantástico:

Além do limite do alcance humano
Uma gota de inferno, um toque de estranho...

As árvores que pendiam sobre o altar tinham faces. Ele as contemplou com extasiada fascinação: aqui um dragão, verde e retorcido, ali uma ninfa com galhos que acenavam como braços, lá um crânio vivo coberto de lodo. Faces. Faces.

A relva da clareira de repente se contorceu e chicoteou.

Chego aí.

Chego aí.

Uma vaga agitação em sua carne. Até onde cheguei, ele pensou. De deitar ao lado de Susan, na doce grama da Baixa, a isto.

Susan se apertava contra ele, um corpo feito de vento, um seio de perfumados jasmim, rosa e madressilva.

— Faça sua profecia — ele disse. — Diga o que preciso saber. — Sua boca parecia cheia de cascalho.

Um suspiro. Um ruído baixo de choro. Os genitais do pistoleiro pareciam repuxados e duros. Acima dele e além das faces nas folhas, ele podia ver as montanhas — duras, brutais e cheias de dentes.

O corpo se movia contra ele, lutava com ele. Sentiu as mãos se fecharem em punhos. Ela tinha lhe enviado uma visão de Susan. Era Susan sobre ele, a encantadora Susan Delgado, esperando por ele numa abandonada choça de vaqueiro na Baixa, o cabelo derramado pelas costas e pelos ombros. Ele jogou a cabeça para o lado, mas o rosto dela acompanhou.

Jasmim, rosa, madressilva, feno velho... o cheiro do amor. Me ame.

— Diga a profecia — ele falou. — Diga a verdade.

Por favor, o oráculo chorou. *Não seja frio. É sempre tão frio aqui...*

Mãos escorregando sobre sua carne, manipulando, conseguindo abrasá-lo. Puxando-o. Sorvendo. Uma perfumada fenda escura. Úmida e quente...

Não. Seca. Fria. Estéril.

Tenha um dedo de misericórdia, pistoleiro. Ah, por favor, imploro sua mercê! Misericórdia!

— Você teria misericórdia do garoto?

Que garoto? Não conheço nenhum garoto. Não é de garotos que eu preciso. Ah, por favor.

Jasmim, rosa, madressilva. Feno seco com seu toque de trevo de verão. Óleo despejado de urnas antigas. Uma festa para a carne.

— Depois — disse ele. — Se for útil o que me contar.

Agora. Por favor. Agora.

Deixou a mente rolar para ela, a antítese da emoção. O corpo que pendia sobre ele gelava e parecia gritar. Houve um breve, perverso cabo-de-guerra no meio de suas têmporas — sua mente era a corda, cinzenta e fibrosa. Por longos momentos, o único som foi o sopro sereno de sua respiração e a brisa ligeira que fazia as faces verdes das árvores se deslocarem, piscarem, fazerem caretas.

Ela afrouxou o abraço. De novo o som de soluços. Teria de ser rápido, ou ela o abandonaria. Ficar agora poderia significar enfraquecimento; talvez, para ela, um tipo de morte. O pistoleiro já sentia sua friagem recuando para deixar o círculo de pedras. O vento encrespava a relva, formando tortuosos desenhos.

— Profecia — ele disse, e depois uma palavra ainda mais seca. — Verdade.

Um suspiro choroso, cansado. Quase se dispôs a conceder a misericórdia que ela implorara, mas... havia Jake. Teria encontrado Jake morto ou insano se tivesse chegado um pouco mais tarde na noite anterior.

Durma então.

— Não.

Então quase durma.

O que ela pedia era perigoso, mas também provavelmente necessário. O pistoleiro ergueu os olhos para os rostos nas folhas. Um jogo estava sendo feito ali para seu entretenimento. Mundos brotavam e desapareciam diante dele. Impérios eram construídos em areias brilhantes onde as máquinas criavam uma eterna e frenética agitação eletrônica. Impérios entravam em decadência, caíam, erguiam-se de novo. Rodas que tinham deslizado com o silêncio das coisas líquidas moviam-se mais devagar, começavam a ranger, começavam a gritar, paravam. Areia asfixiava canos de aço inox de ruas concêntricas sob céus escuros cheios de estrelas, como tabuleiros de jóias brutas. E, no meio de tudo isso, soprava um último vento de mudança, trazendo consigo o cheiro de canela do final de outubro. O pistoleiro contemplou o mundo passando.

E quase adormeceu.

Três. Este é o número do seu destino.

— Três?

Sim, o três é místico. O três fica no centro de sua busca. Outro número vem mais tarde. Agora o número é três.

— Que três?

Vemos parcialmente, e por isso o espelho da profecia fica obscurecido.

— Diga o que puder.

O primeiro é jovem, de cabelo preto. Está próximo do roubo e do homicídio. Um demônio tomou conta dele. O nome do demônio é HEROÍNA.

— Que demônio é esse? Nunca ouvi falar nele, nem mesmo nas lições de meu tutor.

"Vemos parcialmente, e por isso o espelho da profecia fica obscurecido." Há outros mundos, pistoleiro, e outros demônios. Essas águas são profundas. Fique atento aos portais. Fique atento às rosas e aos portais ausentes.

— O segundo?

Ela vem de rodas. Não vejo mais.

— O terceiro?

Morte... mas não para você.

— O homem de preto? Onde ele está?

Perto. Em breve falará com ele.

— Do que vamos falar?

Da Torre.

— E o garoto? Jake?

...

— Fale-me do garoto!

O garoto é sua porta para o homem de preto. O homem de preto é sua porta para os três. Os três são seu caminho para a Torre Negra.

— Como? Como pode ser isso? Por que tem de ser assim?

"Vemos parcialmente, e por isso o espelho..."

— Maldita seja.

Não me amaldiçoe.

— Não me trate como criança, Coisa.

...

— Como devia então chamá-la? Meretriz-estelar? Puta dos Ventos?

Alguns vivem do amor que alcança lugares antigos... mesmo nessa época má e triste. Outros, pistoleiro, vivem do sangue. Até mesmo, eu sei, do sangue de garotos novos.

— Ele não pode ser poupado?

Pode.

— Como?

Pare, pistoleiro. Levante acampamento e volte para noroeste. No noroeste, ainda há necessidade de homens que vivem pela bala.

— Estou jurado pelas armas de meu pai e pela traição de Marten.

Marten não existe mais. O homem de preto comeu a alma dele. Você sabe disso.

— Estou jurado.

Então está condenado.

— Faça o que quiser comigo, puta.

6

Avidez.

A sombra oscilou sobre ele, envolveu-o. Houve um êxtase repentino, quebrado apenas por uma galáxia de dores, fracas e com a luminosidade de velhas estrelas tornadas vermelhas com o colapso. Faces se aproximaram naturalmente dele no clímax de sua união: Sylvia Pittston; Alice, a mulher de Tull; Susan; uma dúzia de outras.

E finalmente, após uma eternidade, conseguiu afastá-la, mais uma vez em seu juízo perfeito, extenuado e enojado.

Não! Não é suficiente! É...

— Me deixe em paz — disse o pistoleiro. Sentou-se e quase caiu do altar antes de recuperar o equilíbrio. Ela o tocava de modo hesitante

(madressilva, jasmim, doce essência de rosas)

e ele a empurrou violentamente, caindo de joelhos.

Abriu caminho como um bêbado até o perímetro do círculo. Atravessou-o cambaleante, sentindo um enorme peso sair de seus ombros. Teve um trêmulo, choroso arranco de respiração. O que ouvira bastava para justificar aquela sensação de corrupção? Não sabia. Achava que ia descobrir na hora devida. Começando a se afastar, pôde senti-la parada junto às barras de sua prisão, vendo-o se distanciar. Teve vontade de saber quanto tempo mais poderia se passar antes que outra pessoa atravessasse o deserto e a encontrassse, faminta e sozinha. Por um momento, sentiu-se insignificante diante das possibilidades do tempo.

7

— Você está doente!

Jake se levantou rápido quando o pistoleiro oscilou pelas últimas árvores e entrou na clareira. O garoto estivera grudado nos restos da pequena fogueira. Em seus joelhos, o maxilar se abria desconsoladamente sobre os ossos do coelho. Correu para o pistoleiro com um ar de sofrimento que fez Roland sentir plenamente o peso ameaçador de uma futura rendição.

— Não — disse ele. — Não estou doente. Só cansado. Moído. — Gesticulou com ar distraído para o maxilar. — Pode se livrar disso, Jake.

O garoto atirou a coisa longe, rápido e violento, esfregando as mãos na camisa depois de fazê-lo. Seu lábio superior subiu e desceu proferindo um rosnado que foi, o pistoleiro acreditou, perfeitamente inconsciente.

O pistoleiro sentou-se — quase caiu — sentindo as juntas doendo e a cabeça tonta, pesada, no desagradável efeito final da mescalina. Sua virilha também pulsava com uma dor persistente. Enrolou um cigarro com cuidadosa, inconsciente lentidão. Jake olhava. O pistoleiro sentiu um brusco impulso de obter a cumplicidade do garoto contando-lhe tudo que tinha ouvido, mas repeliu a idéia com horror. Achou que uma parte dele — mente ou alma — podia estar se desintegrando. Expor sua mente e coração aos sentimentos de uma criança? A idéia era insana.

— Vamos dormir aqui esta noite. Amanhã começamos a subir. Vou lá embaixo um pouco mais tarde para ver se consigo acertar alguma coisa para o jantar. Precisamos recuperar energia. Agora tenho de dormir. Certo?

— Claro. Pode apagar.

— Não entendo o que diz.

— Faça o que está querendo.

— Ah. — O pistoleiro balançou a cabeça e se recostou. *Posso apagar*, ele pensou. *Apagar. Me apagar.*

Quando acordou, as sombras se estendiam pela relva da pequena clareira.

— Acenda o fogo — ele disse a Jake, atirando-lhe a vara de pederneira. — Sabe usar isso?

— Sim, acho que sim.

O pistoleiro caminhou para a mata de salgueiros, mas logo parou ao som da voz do garoto. Parou atônito.

— Faísca-a-risca, cadê meu pai? — o garoto murmurou, e Roland ouviu o agudo *chik! chik! chik!* da pederneira. Soava como o piado de um pequeno pássaro mecânico. — Vou me cansar? Vou me amparar? Abençoe com fogueira este campo.

Como tiradas de mim, o pistoleiro pensou, de maneira alguma surpreso por constatar que estava completamente estupidificado e à beira de começar a tremer como um cachorro molhado. *Como tiradas de mim, palavras que eu já não me lembro sequer de ter dito — e será que as deixaria tão expostas? Ah, Roland, expor um fio tão autêntico de palavras num mundo tão desfiado e triste? Como seria possível justificar isso?*

São simples palavras.

É, mas antigas. Boas palavras.

— Roland? — o garoto chamava. — Você está bem?

— Sim — ele disse rispidamente, e o vestígio de fumaça chegou fraco a seu nariz. — Já fez o fogo?

— Já — o garoto se limitou a dizer, e Roland não precisou se virar para saber que ele estava sorrindo.

O pistoleiro continuou avançando e rumou para a esquerda, desta vez contornando o bosque de salgueiros. Num ponto onde o terreno se abria para os lados e para cima num denso relvado, recuou para as sombras e ficou em silêncio. De modo fraco, mas nítido, pôde ouvir o estalar da fogueira que Jake havia tornado a acender. O barulho o fez sorrir.

Ficou sem se mexer por 10, 15, 20 minutos. Três coelhos apareceram e, assim que entraram em posição, o pistoleiro começou a atirar. Depois de abatê-los, tirou-lhes a pele, as vísceras, e levou-os para a fogueira. Jake já tinha água fervendo sobre as chamas baixas.

— Este é um belo trabalho. — O pistoleiro abanava a cabeça.

Jake ficou vermelho de satisfação e devolveu em silêncio a vara de pederneira.

Enquanto a carne cozinhava, o pistoleiro usou o resto de luz para retornar ao bosque de salgueiros. Perto do primeiro lago, começou a quebrar as resistentes parreiras que cresciam junto da margem pantanosa da água. Mais tarde, quando a fogueira estivesse reduzida a brasas e Jake dormisse, faria um trançado com os galhos, transformando-os em cordas que poderiam ser de alguma limitada utilidade. Mas sua intuição era que a subida não seria particularmente difícil. Sentia o ka trabalhando na superfície das coisas e já nem considerava isso estranho.

As parreiras derramaram uma seiva verde em suas mãos enquanto ele as carregava para onde Jake estava à espera.

Levantaram-se com o sol e estavam prontos em meia hora. O pistoleiro quis matar outro coelho no prado antes de partirem, mas o tempo era curto e nenhum coelho apareceu. A trouxa do que lhes restava de comida era agora tão pequena e leve que Jake carregou-a facilmente. Tinha endurecido aquele garoto; uma mudança a olhos vistos.

O pistoleiro carregava a água, recentemente tirada de uma das nascentes. Enrolou suas três cordas de parreira na cintura. Conservaram distância do círculo de pedras (o pistoleiro receou que o garoto pudesse experimentar aquela sensação de medo, mas quando passaram ao largo do círculo numa subida pedregosa, Jake só o olhou de relance, logo se concentrando num pássaro que pairava na corrente de vento). Pouco depois, as árvores começaram a perder altura e exuberância. Os troncos ficaram retorcidos e as raízes pareciam lutar com a terra numa torturada busca de umidade.

— É tudo tão antigo — disse Jake num tom melancólico quando fizeram uma pausa para descansar. — Não há nada novo neste mundo?

O pistoleiro sorriu e deu uma cotovelada em Jake.

— Só você — disse.

Jake reagiu com um sorriso amarelo.

— Vai ser difícil subir?

O pistoleiro olhou-o com ar curioso.

— As montanhas são altas. Não acha que será uma subida difícil?

Jake devolveu o olhar, olhos enevoados, confusos.

— Não.

Continuaram.

8

O sol subiu para seu zênite, onde pareceu se demorar menos do que era habitual durante a travessia do deserto, e depois continuou seguindo, devolvendo aos dois suas sombras. Plataformas de rocha se projetavam da terra cada vez mais alta como braços de gigantescas espreguiçadeiras enterradas no solo. A relva rala ficou amarela, seca. Finalmente se defrontaram com uma fenda profunda na trilha, como uma chaminé, e tiveram de escalar um pouco, apoiando-se em saliências de rocha para contorná-la e ultrapassá-la. O antigo granito se gastara em pontos que eram do tamanho de um passo e, como os dois haviam intuído, pelo menos o início da subida foi fácil. Fizeram uma pausa no topo de uma escarpa, uma área com mais de um metro de largura, e deixaram os olhos deslizarem até o deserto, que se enroscava ao redor das terras altas como enorme garra amarela. Já bem longe, ele cintilava num escudo branco que ofuscava o olho, estendendo-se em embaçadas ondas de calor. O pistoleiro ficou um tanto espantado ao imaginar como aquele deserto quase o matara. De onde estavam, num novo trecho de vegetação, o deserto certamente parecia imponente, mas não mortal.

Voltaram a subir, seguindo com cuidado por afloramentos de rocha cheios de cascalho e por planos inclinados de pedra salpicados com brilhos de quartzo e mica, onde precisaram avançar agachados. A rocha parecia agradavelmente quente ao toque, mas o ar era definitivamente mais frio. No final da tarde, o pistoleiro ouviu o barulho fraco do trovão. As altas vertentes das montanhas, no entanto, obscureciam a visão da chuva do outro lado.

Quando as sombras começaram a passar ao roxo, acamparam no parapeito formado por uma projeção de rocha. O pistoleiro escorou o cobertor no alto e embaixo, montando uma espécie de alpendre tosco.

Sentaram-se na entrada da tenda, vendo o céu estender um manto sobre o mundo. Jake balançava os pés sobre a beirada. O pistoleiro enrolava o cigarro da noite e fitava Jake com um ar meio engraçado.

— Não role por aí quando estiver dormindo — disse — ou pode acordar no inferno.

— Não vou rolar — respondeu Jake seriamente. — Minha mãe diz... — Ele se interrompeu.

— Diz o quê?

— Que eu durmo como um morto — Jake concluiu. Olhou para o pistoleiro, que viu que a boca do garoto estava tremendo na luta para conter as lágrimas... *Só um garoto,* ele pensou, e a dor o golpeou como aquela sensação de furador de gelo que mergulhar em água muito fria pode às vezes plantar na nossa testa. *Só um garoto. Por que com ele?* Pergunta boba. Quando um garoto, ferido no corpo ou no espírito, fazia essa pergunta a Cort, aquela velha máquina de batalha cheia de cicatrizes, cujo trabalho era ensinar aos filhos dos pistoleiros os rudimentos do que eles tinham de saber, a resposta era: *Porque você é uma letra torta que a gente não consegue que fique direita... não importa por quê, só se levante, cabeça em pé! Levante! O dia é uma criança!*

— Por que estou aqui? — Jake perguntou. — Por que esqueci tudo que aconteceu antes?

— Porque o homem de preto o trouxe para cá — disse o pistoleiro. — E por causa da Torre. A Torre fica numa espécie de... anel de poder. No tempo.

— Não entendo isso!

— Nem eu — disse o pistoleiro. — Mas alguma coisa vem acontecendo. E em meu próprio tempo. "O mundo seguiu adiante", nós dizemos... nós sempre dizemos. Mas está passando mais depressa agora. Alguma coisa aconteceu ao tempo. Está ficando mais flexível.

Sentaram-se em silêncio. Uma brisa, fraca mas com certa aspereza, tocou em suas pernas. Em algum lugar, a brisa fazia um cavernoso *uuuuuuh* numa fenda de rocha.

— De onde você vem? — perguntou Jake.

— De um lugar que não existe mais. Conhece a Bíblia?

— Jesus e Moisés. Claro.

— Pois então. — O pistoleiro sorriu. — Minha terra tinha um nome bíblico... Nova Canaã, era como se chamava. A terra de leite e mel. Na Canaã da Bíblia, supostamente havia uvas tão grandes que os homens tinham de carregá-las em trenós. Não as cultivávamos tão grandes assim, mas era uma doce terra.

— Conheço a história de Ulisses — disse Jake com hesitação. — Ele estava na Bíblia?

— Talvez — disse o pistoleiro. — Nunca fui perito no assunto e não posso afirmar com certeza.

— Mas os outros... seus amigos...

— Não há outros — disse o pistoleiro. — Sou o último.

Uma pequena, enfraquecida lua começou a subir no céu, atirando seu brilho enodoado na mistura de rochas onde estavam sentados.

— Era bonito? Seu país... sua terra?

— Era bonito — disse o pistoleiro. — Havia campos, florestas, rios e névoas pela manhã. Mas era só isso. Minha mãe costumava dizer que a única verdadeira beleza é a ordem, o amor e a luz.

Jake fez um ruído neutro.

O pistoleiro fumava e pensava em como era — as noites no enorme salão principal, centenas de figuras ricamente vestidas movendo-se com os lentos e firmes passos da valsa ou as ondulações leves e mais rápidas da *pol-kam*, Aileen Ritter em seu braço, a moça que, achava ele, seus pais tinham escolhido para desposá-lo, os olhos dela mais brilhantes que as mais preciosas das pedras, a luz dos candelabros de cristal brilhando nos cabelos recentemente penteados dos cortesãos e de seus pares amorosos meio cínicos. O salão era enorme, uma ilha de luz cuja idade já não se conseguia contar, assim como a idade de toda a Área Central, que era constituída de quase uma centena de castelos de pedra. Havia se passado um número desconhecido de anos desde que Roland os vira e os deixara pela última vez. Sentira então a cabeça doendo ao afastar de vez os olhos e dar início à sua primeira busca pela trilha do homem de preto. Já então as paredes tinham caído, ervas daninhas cresciam nos pátios, morcegos se empoleiravam entre as grandes vigas do salão principal, e as galerias ecoavam com o esvoaçar suave e o murmúrio das andorinhas. Os campos onde Cort lhes ensinara a arte do arco, a artilharia, a falcoaria, estavam entregues ao mato, ao capim e às parreiras selvagens. Na enorme cozinha onde Hax um dia mantivera sua fumegante e aromática corte, uma grotesca colônia de Vagos Mutantes se formara. Eles o espreitaram da abençoada escuridão das despensas e das sombras das colunas. O vapor quente que sempre se enchia dos odores pungentes dos assados de carne de boi e porco fora substituído pela viscosa umidade do musgo. Gigantescos cogumelos brancos cresciam nos cantos onde nem mesmo os Vagos Mutantes ousavam acampar. O enorme tabique de carvalho que isolava a adega subterrânea permanecia aberto, deixando escapar um cheiro muito agressivo do que havia lá dentro, um odor que parecia expressar com categórica determinação todas as duras realidades da dissolução e da decadência: o cheiro forte e penetrante do vinho transformado em vinagre. Não fora preciso lutar para virar o rosto para o sul e deixar aquilo para trás — mas machucara seu coração.

— Houve uma guerra? — Jake perguntou.

— Melhor ainda — disse o pistoleiro, atirando fora a última brasa que queimava em seu cigarro. — Houve uma revolução. Vencemos cada batalha, e perdemos a guerra. Ninguém ganhou a guerra, a não ser que levemos em conta as aves de rapina. Elas devem ter desfrutado de um rico espólio durante os anos que se seguiram.

— Gostaria de ter vivido lá — disse Jake com ar melancólico.

— Está falando sério?

— Estou.

— Hora de dormir, Jake.

O garoto, agora apenas uma vaga sombra, virou de lado e se enroscou no cobertor atirado sobre ele. O pistoleiro velou ao seu lado por cerca de uma hora, mergulhando em profundos, graves pensamentos. Tal meditação era uma novidade para ele, agradável sob um certo prisma melancólico, mas sem absolutamente qualquer significado prático: a única solução para o problema de Jake era aquela que o Oráculo tinha oferecido — virar-lhe as costas simplesmente não era possível. Talvez tivesse havido tragédia na situação, mas o pistoleiro não via isso; via apenas a predestinação de sempre. E por fim, a natureza mais realista de seu temperamento voltou a se afirmar, e ele dormiu profundamente, sem sonhos.

9

A subida ficou mais severa no dia seguinte, quando continuaram a rumar para o estreito V do desfiladeiro entre as montanhas. O pistoleiro avançava devagar, ainda sem qualquer sentimento de pressa. A rocha árida sob seus pés não deixava traço do homem de preto, mas o pistoleiro sabia que ele passara por ali... Não só pela trajetória de sua escalada, percebida quando ele e Jake o observaram, minúsculo como um inseto, do sopé das montanhas, mas porque seu aroma estava impresso em cada fria corrente descendente de ar. Era um odor debochado, gorduroso, amargo para o nariz como o fedor da erva do diabo.

O cabelo de Jake já crescera bastante, e se curvara ligeiramente na base do pescoço queimado de sol. O garoto subia com determinação, movendo-se com passos seguros. Aparentemente, não tinha medo da altura quando atravessavam falhas ou tinham de transpor saliências de pedra. Já por duas vezes atingira lugares inacessíveis para um adulto, e prendera uma das cordas para que o pistoleiro pudesse subir usando as mãos.

Na manhã seguinte, passaram por um fragmento de nuvem frio e úmido, que borrou as caóticas encostas embaixo deles. Marcas de queda de uma neve granulada e dura começaram a aparecer em certos bolsões mais profundos de rocha. Brilhavam como quartzo e sua textura era seca como areia. Naquela tarde, encontraram uma pegada numa dessas areiazinhas. Jake contemplou-a um instante com extrema fascinação, depois ergueu a cabeça assustado, como se esperasse ver o homem de preto se materializar para ocupar sua própria pegada. O pistoleiro deu tapinhas em seu ombro e apontou para a frente.

— Vamos. O dia está chegando ao fim.

Mais tarde, sob a última luz do dia, acamparam numa larga e plana saliência de rocha a leste, e ao norte da passagem que rumava para o coração das montanhas. O ar era frio; podiam ver as nuvens de suas respirações, e o ruído pastoso de trovão no entardecer vermelho-e-púrpura era surreal, ligeiramente lunático.

O pistoleiro achou que o garoto ia começar a interrogá-lo, mas Jake não fez nenhuma pergunta. Caiu quase de imediato no sono. O pistoleiro seguiu seu exemplo. Sonhou de novo com Jake como um santo de alabastro com um cravo na testa. Acordou sem fôlego, experimentando o frio rarefeito da altitude nos pulmões. Jake dormia a seu lado, mas não era um sono fácil; debatia-se e resmungava, caçando seus próprios fantasmas. O pistoleiro se recostou um tanto inquieto, e dormiu de novo.

10

Uma semana depois de Jake ter visto a pegada, acabaram se defrontando por um breve momento com o homem de preto. Foi quando o pistoleiro achou que podia quase entender a implicação da própria Torre, pois o instante pareceu se estender para sempre.

Continuaram para sudeste, atingindo um ponto mais ou menos na metade da ciclópica cadeia de montanhas e, justamente quando, pela primeira vez, o caminho pareceu que ia se tornar realmente difícil (sobre eles, aparentemente cada vez mais íngremes, saliências nevadas e elevações escarpadas fizeram o pistoleiro sentir uma desagradável vertigem reversa), começaram novamente a descer pelo lado do estreito desfiladeiro. Uma trilha em forte ziguezague levou-os para o fundo de uma garganta, onde um regato cercado de gelo descia com severa, impetuosa força, certamente após cair de um paredão mais alto.

Naquela tarde, o garoto ficou um instante imóvel e se virou para o pistoleiro, que parara para lavar o rosto no regato.

— Sinto o cheiro dele — disse.

— Eu também.

À frente deles, a montanha erguia sua última defesa — uma enorme laje de intransponível granito subindo para um infinito enevoado. O pistoleiro achava que, a qualquer momento, o regato faria uma curva brusca que os colocaria defronte a uma alta queda d'água e à insuperável superfície da rocha — fim do caminho. A atmosfera, no entanto, possuía ali aquele estranho poder de exagerar as coisas, comum aos lugares altos, e tiveram outro dia antes de atingirem o grande paredão de granito.

O pistoleiro começou a sentir outra vez aquele pulsar de antecipação, o sentimento de que tudo finalmente estava a seu alcance. Já experimentara isto antes — muitas vezes — mas ainda tinha de lutar consigo mesmo para não irromper numa ávida disparada.

— Espere! — O garoto tinha parado de repente. Defrontavam-se com uma fechada curva no regato; a água fervilhava, espumava ao redor da superfície gasta pela erosão de um gigantesco bloco de arenito. Tinham andado toda a manhã na sombra das montanhas enquanto o desfiladeiro se estreitava.

Jake tremia violentamente e seu rosto empalidecera.

— Qual é o problema?

— Vamos voltar — Jake murmurou. — Vamos voltar depressa.

A expressão do pistoleiro não se alterava.

— Por favor. — O rosto do garoto estava repuxado, e o queixo oscilava numa agonia reprimida. Através da pesada manta de pedra, ainda ouviam o trovão, nítido como máquinas sobre a terra. A fatia de céu que conseguiam ver tinha assumido um turbulento, gótico tom cinzento em que correntes frias e quentes se encontravam e lutavam entre si.

— Por favor, *por favor!* — O garoto ergueu um punho, como se fosse bater no peito do pistoleiro.

— Não.

O rosto do garoto assumiu um ar de espanto.

— Você vai me matar. Ele me matou da primeira vez e você vai me matar desta vez. *E acho que sabe disso.*

O pistoleiro sentiu a mentira nos lábios, e a disse:

— Nada vai acontecer com você. — E uma mentira ainda maior. — Eu vou cuidar de você.

O rosto de Jake ficou sombrio, e ele não falou mais nada. Estendeu hesitantemente a mão e ele e o pistoleiro contornaram a curva daquele jeito, de mãos dadas. Do outro lado, ficaram cara a cara com aquele último paredão e com o homem de preto.

Ele estava a não mais de seis metros acima dos dois, logo à direita da queda d'água que quebrava e se derramava de uma enorme abertura denteada na rocha. Um vento invisível encrespava e franzia sua túnica com capuz. Segurava um cajado numa das mãos. A outra estava estendida para eles num gesto zombeteiro de boas-vindas. Parecia um profeta, e, debaixo da aspereza daquele céu, postado numa saliência de rocha, um profeta do juízo final, sua voz, a voz de Jeremias.

— Pistoleiro! Como você preenche bem as profecias antigas! Bom dia, bom dia e bom dia! — Riu e curvou a cabeça, o som ecoando sobre o ronco da água caindo.

Sem pensar um segundo, o pistoleiro tinha sacado suas pistolas. O garoto, uma pequena sombra, abaixava-se à sua direita e atrás dele.

Roland atirou três vezes antes de conseguir controlar as mãos traiçoeiras — os ecos lançaram os tons de bronze contra o vale rochoso que se erguia ao redor, sobre o barulho do vento e da água.

Uma rajada de granito soprou sobre a cabeça do homem de preto; uma segunda rajada, à esquerda de seu capuz; uma terceira, à direita. O pistoleiro errara por completo todas as três vezes.

O homem de preto ria — um riso franco, vigoroso, que parecia desafiar os ecos em retirada dos disparos.

— Mataria todas as suas respostas tão facilmente, pistoleiro?

— Desça — disse o pistoleiro. — Faça o que estou mandando e teremos respostas por toda parte.

De novo aquele riso enorme, debochado.

— Não são suas balas que eu temo, Roland. O que me assusta é essa sua idéia de resposta.

— Desça.

— Vamos falar do outro lado, eu acho — disse o homem de preto. — Do outro lado vamos fazer muitas conferências e confabular longamente. Seus olhos fizeram um movimento repentino para Jake, e ele acrescentou:

— Só nós dois.

Jake desviou o rosto com um pequeno grito choroso, e o homem de preto deu meia volta, a túnica batendo no ar cinzento como asa de morcego. Desapareceu na fenda de rocha por onde a água era vomitada com toda força. O pistoleiro exercitou seu autocontrole e não disparou uma bala atrás dele — *mataria todas as suas respostas tão facilmente, pistoleiro?*

Havia apenas o barulho do vento e da água, um som que estivera há mil anos naquele lugar de desolação. Contudo, fora lá que o homem de preto aparecera. Doze anos após sua última aparição, Roland tornara a vê-lo de perto, falara com ele. E o homem de preto havia rido.

Do outro lado vamos fazer muitas conferências e confabular longamente.

O garoto ergueu os olhos, o corpo tremendo. Por um momento, o pistoleiro viu o rosto de Allie, a moça de Tull, superposto ao de Jake. A cicatriz se projetava na testa como acusação muda, e sentiu uma irracional aversão pelos dois (só muito mais tarde lhe ocorreria que tanto a cicatriz na testa de Allie quanto o cravo que, em seus sonhos, viu enfiado na testa de Jake estavam no mesmo lugar). Jake talvez tenha captado um traço de seu pensamento; um suspiro lhe escapou da garganta. Mas Jake repuxou os lábios e eliminou o som. Mostrava as qualidades de um homem requintado, talvez de um verdadeiro pistoleiro se lhe dessem o tempo necessário.

Só nós dois.

O pistoleiro sentiu uma grande, horrível sede em algum buraco profundamente desconhecido do corpo, uma sede que nenhum gole de água ou vinho poderia abrandar. Mundos tremiam, alguns dentro do alcance de seus dedos e, de uma forma instintiva, ele lutava para não ser corrompido, sabendo no fundo frio de sua mente que tal luta era e sempre seria vã. No fim, havia apenas o ka.

Era meio-dia. Ele ergueu os olhos, deixando a enevoada, instável luz do dia brilhar pela última vez sobre o sol extremamente vulnerável de sua própria virtude. *Ninguém jamais realmente paga pela traição em prata,* pensou. *O preço de qualquer traição sempre é devido em carne.*

— Venha comigo ou fique — disse o pistoleiro.

O garoto reagiu com um riso duro e destituído de humor — o riso do pai, que mal chegara a conhecer.

— E vou ficar muito bem se continuar aqui — disse Jake. — Fico muito bem completamente sozinho, aqui nas montanhas. Alguém virá me salvar. Vão trazer bolo e sanduíches. Café numa garrafa térmica, também. Não acha que sim?

— Venha comigo ou fique — o pistoleiro repetiu e sentiu algo acontecer em sua mente. Uma desconexão. Foi o momento em que a pequena figura na frente dele deixou de ser Jake e tornou-se apenas o garoto, uma coisa impessoal a ser posta em movimento e usada.

Algo gritou na serenidade do vento; ele e o garoto ouviram.

O pistoleiro começou a subir e, após um momento, Jake foi atrás. Juntos galgaram o caótico amontoado de rocha ao lado das quedas d'água, frias como aço, e pararam onde o homem de preto havia parado. E juntos entraram onde ele havia desaparecido. A escuridão os engoliu.

Capítulo 4

Os Vagos Mutantes

1

O pistoleiro falava devagar com Jake. O tom subia e descia como alguém que fala dormindo:

— Éramos três naquela noite: Cuthbert, Alain e eu. Não deveríamos estar ali, porque nenhum de nós havia ultrapassado seu tempo de criança. Ainda não tínhamos largado as fraldas, como se costumava dizer. Se tivéssemos sido apanhados, Cort teria nos tirado sangue. Mas não fomos apanhados. Acho também que nenhum dos que fizeram aquilo antes de nós foi apanhado. Garotos têm de pôr as calças dos pais em segredo, experimentá-las na frente do espelho e depois devolvê-las furtivamente aos cabides; funcionava mais ou menos assim. O pai finge que não nota o modo diferente como a calça está pendurada ou o cheiro de loção de barba na cara dos meninos. Entende isso?

O garoto não disse nada. Não dissera nada desde que tinham saído da luz do dia. O pistoleiro, por outro lado, falava agitadamente, febrilmente, para preencher o silêncio. Não tinha se virado para trás, para a luz, quando penetraram na grota sob as montanhas, mas o garoto se virara. O pistoleiro vira o cair do dia no suave espelho do rosto de Jake: primeiro levemente rosado, depois leitoso, depois um prateado pálido, depois o clarão da última penumbra da tarde, depois nada. O pistoleiro presenciara uma falsa luminosidade e os dois continuaram.

Finalmente acamparam. Nenhum eco do homem de preto retornou. Talvez ele também tivesse parado para descansar. Ou talvez continuasse deslizando para a frente, sem luzes sinalizadoras, através de espaços noturnos.

— A Dança da Noite da Colheita... a *Commala*, como diziam alguns dos mais velhos, usando a palavra que tínhamos para arroz... era realizada uma vez por ano no Salão do Oeste — o pistoleiro continuou. — O verdadeiro nome era Salão dos Antepassados, mas para nós era apenas o Salão do Oeste.

O barulho de água caindo chegou aos ouvidos dos dois.

— Um rito cortesão, como qualquer dança primaveril certamente é. — O pistoleiro riu num tom de quem faz pouco; os paredões ásperos transformaram o riso num chiado idiota. — Nos velhos tempos, segundo os livros, a dança saudava a chegada da primavera e a primavera era às vezes chamada de Terra Nova ou Nova Commala. Mas com o desenvolvimento da civilização, você sabe...

Sua voz se extinguiu, incapaz de descrever a mudança sugerida por aquela vaga palavra: a morte do romance e o cultivo de seu espectro estéril, carnal; um mundo que passara a viver sob a respiração forçada do falso brilho e da cerimônia, os passos geométricos simulando um galanteio durante a Dança da Noite da Colheita, tomando o lugar da mais autêntica, mais febril vibração do amor, que agora podia ser apenas vagamente intuído; solenidade oca em lugar das paixões verdadeiras que um dia foram capazes de edificar reinos e de sustentá-los. O pistoleiro encontrara a verdade com Susan Delgado, em Mejis, só para perder de novo essa verdade. *Um dia houve um rei*, podia ter contado ao garoto, *o Eld, cujo sangue, ainda que atenuado, continua correndo nas minhas veias. Mas os reis acabaram, rapaz. Pelo menos no mundo da luz.*

— Transformaram a coisa em algo decadente — disse por fim o pistoleiro. — Um brinquedo. Um jogo. — Em sua voz havia toda a inconsciente repugnância do asceta e do eremita. A expressão do rosto, se existisse luz mais forte para iluminá-la, teria mostrado aspereza e dor, o tipo mais puro de danação. A força essencial do pistoleiro, contudo, não fora cortada ou diluída pela passagem dos anos. E a falta de imaginação que ainda subsistia naquela expressão era notável.

— Mas, apesar de tudo, o Baile — disse o pistoleiro —, a Dança da Noite da Colheita...

O garoto não falou, não perguntou.

— Havia lustres de cristal, vidros grossos com lumes elétricos. Tudo luz, era uma ilha de luz.

"Conseguimos nos introduzir num dos velhos balcões, justo aqueles que estariam inseguros e estavam condenados. Mas éramos garotos, e garotos serão sempre garotos, por isso fomos lá. Para nós, era tudo perigoso, e daí? Não tínhamos sido feitos para viver para sempre? Achávamos que sim, mesmo quando conversávamos entre nós sobre nossas mortes gloriosas.

"Estávamos acima de todos e podíamos ver tudo de lá. Não me lembro se algum de nós disse alguma coisa. Tragávamos o baile com nossos olhos.

"Havia uma grande mesa de pedra onde os pistoleiros e suas mulheres sentavam-se para comer e apreciar os dançarinos. Alguns pistoleiros também dançavam, mas poucos. E eram os mais moços. O que abriu o alçapão embaixo de Hax era um dos dançarinos, acho que não me esqueci. Os mais velhos só olhavam, e me pareceu que estavam meio sem jeito entre toda aquela luz, toda aquela civilizada luz. Eram os reverenciados, os temidos, os guardiães, mas pareciam cavalariços entre a multidão de cavaleiros com suas sedosas mulheres...

"Havia quatro mesas circulares cheias de comida, que estava sendo sempre trocada. Os ajudantes de cozinha não pararam de ir e vir, das sete às três horas da manhã seguinte. As mesas pareciam relógios, e sentíamos o cheiro de porco assado, filés, lagostas, frangos, maçãs assadas. Os odores mudavam à medida que as mesas se modificavam. Havia sorvetes e doces. Havia grandes espetos de carne recém-saídos das brasas.

"Marten estava sentado ao lado de minha mãe e de meu pai — reconheci-os apesar de toda aquela altura — e minha mãe dançou uma vez com Marten, girando lentamente, enquanto as pessoas abriam uma clareira na pista de dança; elas aplaudiram quando a música acabou. Os pistoleiros não aplaudiram, mas meu pai se levantou devagar e estendeu as mãos para ela. E ela foi para seus braços, sorrindo, também estendendo as mãos.

"Foi um momento de enorme gravidade, mesmo nós sentimos isso em nosso esconderijo lá em cima. Meu pai já havia assumido o controle de seu ka-tet, você sabe o que é... o Tet da Arma... e estava em vias de se tornar Dinh de Gilead, senão de todo o Mundo Interior. Os outros sabiam disso. Marten sabia melhor que qualquer outra pessoa... com a única exceção, talvez, de Gabrielle Verriss."

O garoto finalmente falou, e aparentemente com relutância.

— Era sua mãe?

— Era. Gabrielle-das-Águas, filha de Alan, esposa de Steven, mãe de Roland. — O pistoleiro separou as mãos num pequeno gesto de zombaria que pareceu dizer: *aqui estou eu, e daí?* Depois deixou novamente as mãos caírem na frente do corpo. — Meu pai foi o último senhor da luz.

O pistoleiro baixou os olhos para as mãos. O garoto não falou mais nada.

— Lembro como dançavam — disse o pistoleiro. — Minha mãe e Marten, o conselheiro dos pistoleiros. Lembro como dançavam, girando devagar, ora juntos, ora separados, nos velhos passos do estilo cortesão.

Olhou para o garoto, sorrindo.

— Mas isso não tinha importância, acredite. Porque meu pai já perdera o poder; um processo de que ninguém tivera conhecimento, mas que todos compreendiam, e minha mãe estava completamente voltada para o novo portador e controlador desse poder. Não era assim? Afinal ela voltou para meu pai quando a dança acabou, não foi? E segurou as mãos dele. Eles reagiram? O resto do salão reagiu quando aqueles jovens pistoleiros e sedosas senhoras aplaudiram e louvaram meu pai? O salão reagiu? Reagiu?

A água caía insistente e distante na escuridão. O garoto nada dizia.

— Lembro como dançavam — disse o pistoleiro em voz baixa. — Lembro como dançavam.

Ergueu a cabeça para a moldura de pedra oculta no escuro e, por um momento, pareceu que ia gritar com ela, repreendê-la, desafiá-la cegamente — desafiar aqueles cegos e mudos maciços de granito que levavam suas vidinhas como micróbios num intestino de pedra.

— Que mão podia ter sustentado a faca que levou meu pai para a morte?

— Estou cansado — disse o garoto, e de novo se calou.

O pistoleiro deslizou para o silêncio, e o garoto se deitou, pondo uma das mãos entre o rosto e a pedra. A pequena chama na frente deles diminuía. O pistoleiro enrolou um cigarro. Parecia que ainda podia ver a luz de cristal no olho de sua memória; podia ouvir o grito de saudação, um grito vazio numa terra que, já naquela época, estava decadente e sem esperanças ante um sombrio oceano de tempo. Recordar aquela ilha de luz o feria amargamente. Melhor que nunca tivesse tido oportunidade de testemunhá-la ou de testemunhar o corneamento do pai.

Fez a fumaça passar entre a boca e as narinas, baixando os olhos para o garoto. *Como são poderosos os círculos que criamos para nós mesmos na terra*, pensou. *Não importa onde se esteja, procuramos sempre o início, e o início está lá de novo: um recomeço que foi sempre a ruína da luz do sol.*

Quanto tempo vai demorar para vermos de novo a luz do sol?

Ele dormiu.

Depois que o ruído de sua respiração tornou-se longo, firme e regular, o garoto abriu os olhos e observou o pistoleiro com uma expressão de mal-estar e afeto. Por um momento, a última luz da fogueira pegou sua pupila e ali se extinguiu. Ele também adormeceu.

2

O pistoleiro havia perdido a maior parte de seu sentido de tempo no deserto, que era imutável; perdeu o resto ali, naquela passagem sob as montanhas, onde não havia luz. Nenhum dos dois podia consultar um relógio e a noção das horas se tornava imprecisa, absurda. Em certo sentido, achavam-se fora do tempo. Um dia podia ser uma semana, ou uma semana, uma dia. Iam andar, dormir, comer magras refeições que não satisfariam seus estômagos. Teriam por única companhia um contínuo e trovejante barulho de água caindo, abrindo seu sulco de arado através da rocha. Foram atrás dele e beberam da corrente regular, sugerindo sais minerais. Torceram para não haver nada ali que pudesse deixá-los doentes ou matá-los. Às vezes o pistoleiro julgava ver certos brilhos à deriva, como cadáveres de luzes sob a superfície do riacho, mas logo concluía que eram apenas projeções de seu cérebro, que não esquecera a luz. No entanto, advertiu o garoto para não pôr os pés na água.

O marcador de quilometragem em sua cabeça levava-os com firmeza à frente.

A trilha ao lado do rio (pois *era* uma trilha — suave, ligeiramente menos elevada no meio que nas bordas) levava sempre para cima, para a cabeceira do rio. A intervalos regulares, atingiam postes de pedra tortos, com anéis presos neles; talvez antigamente bois ou cavalos de diligências ficassem amarrados ali. Em cada um havia também um recipiente de ferro com uma tocha elétrica, mas estavam todas sem uso e sem luz.

Durante o terceiro período de descanso-antes-de-dormir, o garoto perambulou um pouco. O pistoleiro ouviu o leve murmúrio das pedras se agitando enquanto Jake avançava devagar.

— Cuidado — disse. — Não pode ver onde está.

— Estou de gatinhas. Isto aqui é... olhe!

— Que foi? — O pistoleiro começou a ficar de pé, encostando a mão na coronha de um dos revólveres.

Houve uma breve pausa. O pistoleiro contraiu inutilmente os olhos.

— Acho que é uma estrada de ferro — disse o garoto um tanto em dúvida.

O pistoleiro se levantou e caminhou em direção à voz de Jake. Tateava ligeiramente com um dos pés para se precaver de alguma armadilha.

— Aqui. — A mão se estendeu e roçou os dedos pelo rosto do pistoleiro. O garoto era muito bom no escuro, melhor que o próprio Roland. Seus olhos pareciam dilatados até não haver mais cor neles: foi o que o pistoleiro observou ao obter uma luz precária. Não havia lenha naquele útero de rocha, e os gravetos que tinham trazido viravam rapidamente cinza. Às vezes, porém, o impulso de conseguir um pouco de luz era quase insaciável. Tinham descoberto que alguém podia ficar tão sedento de luz quanto de comida.

O garoto estava de pé ao lado de uma curva parede de rocha que era provida de barras paralelas de metal se estendendo para a escuridão. Cada barra tinha grampos pretos que talvez antigamente fossem condutores de eletricidade. E junto e embaixo da parede, elevando-se a poucos centímetros do chão de pedra, havia trilhos de metal brilhante. O que teria corrido um dia naqueles trilhos? O pistoleiro mal podia imaginar polidas balas elétricas, com alarmados olhos de holofote, seguindo seus cursos por aquela noite eterna. Nunca vira tais coisas, mas sabia que eram remanescentes do mundo extinto, e acreditava nelas assim como em demônios. O pistoleiro se deparara um dia com um eremita que adquirira poder quase sobrenatural sobre um miserável bando de pastores de gado porque possuía uma velha bomba de gasolina. O eremita ficava de cócoras ao lado da bomba, um dos braços possessivamente em volta dela, e fazia pregações selvagens, febris. De vez em quando, colocava o aço ainda brilhante da ponta da mangueira, cuja borracha estava apodrecida, entre as pernas. Na bomba, em letras perfeitamente legíveis (embora cheias de ferrugem), havia uma inscrição de significado desconhecido: AMOCO. Sem chumbo. Amoco se transformara no totem de um deus-trovão e eles O cultuavam com a matança de ovelhas e o som de motores: *Rumm! Rummm! Rum-rum-rummmmm!*

Destroços, o pistoleiro pensou. Só insignificantes destroços brotando de areias que um dia tinham sido mares.

E agora destroços de uma estrada de ferro.

— Vamos segui-la — disse.

O garoto ficou calado.

O pistoleiro extinguiu a luz do graveto e os dois dormiram.

Quando Roland despertou, o garoto estava diante dele, sentado num dos trilhos, observando-o sem nada enxergar no escuro.

Seguiram os trilhos como cegos, Roland na frente, Jake atrás. Como cegos, faziam sempre os pés deslizarem por um dos trilhos. O contínuo fluxo do rio à direita era sua única companhia. Não falavam, e foi assim durante três períodos de vigília. O pistoleiro não sentia qualquer impulso para pensar de modo coerente ou para planejar. Seu sono não tinha sonhos.

Durante o quarto período de vigília e caminhada, literalmente atropelaram um vagonete.

O pistoleiro bateu nele na altura do peito, e o garoto, andando do outro lado, bateu com a testa e caiu gritando.

O pistoleiro logo fez fogo com a pederneira.

— Você está bem? — As palavras pareciam ásperas, irritadas, e ele próprio estremeceu com elas.

— Sim. — O garoto segurava carinhosamente a cabeça. Sacudiu-a para se certificar de que dissera a verdade. Os dois se viraram para ver no que haviam batido.

Era uma placa quadrada e chata de metal, parada silenciosamente nos trilhos. Havia uma manivela de gangorra no centro da placa. Ela se ajustava a um conjunto de engrenagens. O pistoleiro não percebeu de imediato a finalidade da coisa, mas o garoto entendeu prontamente.

— É um vagonete.

— O quê?

— Um vagonete — o garoto repetiu com impaciência —, como nos antigos desenhos animados. Olhe.

Subiu e pegou a manivela. Conseguiu arriá-la, mas teve de empregar toda a sua força para completar o movimento de vaivém. O vagonete moveu-se alguns centímetros sobre os trilhos, com silenciosa tranqüilidade.

— Bom! — disse uma débil voz mecânica que fez os dois darem um pulo. — Bom, empurrem de no... — A voz mecânica cessou.

— É preciso um pouco de força para funcionar — disse o garoto, como que se desculpando pela coisa.

O pistoleiro subiu ao lado de Jake na plataforma e puxou a manivela para baixo. O vagonete avançou obediente, depois parou.

— Bom, empurrem de novo! — encorajou a voz mecânica.

O pistoleiro havia sentido os giros de deslocamento sob os pés. A operação o agradava, assim como a voz mecânica (embora não pretendesse ouvir *aquilo* mais que o necessário). Excluindo a bomba d'água no posto de parada, há anos não via uma máquina que ainda funcionasse bem. Mas a coisa também o deixava inquieto. Ia levá-los muito mais depressa ao destino. Não tinha a menor dúvida de que o homem de preto também pretendera que encontrassem o vagonete.

— Incrível, não é? — disse o garoto, e a voz estava cheia de aversão. O silêncio era profundo. Roland ouvia seus próprios órgãos trabalhando dentro do corpo, o cair da água e nada mais.

— Você fica de um lado, eu fico do outro — disse Jake. — Mas vai ter de empurrar sozinho até a coisa começar a rolar direito. Depois eu posso ajudar. Você empurra, eu empurro. Vamos assim. Percebeu?

— Percebi — disse o pistoleiro. As mãos estavam fechadas em inúteis punhos de desespero.

O garoto repetiu, olhando para ele:

— Mas vai ter de empurrar sozinho até a coisa começar a rolar direito.

De repente, o pistoleiro teve uma nítida visão do Grande Salão, cerca de um ano após a Dança da Noite da Colheita. Já então nada havia além de cacos espalhados no despertar da revolta, da luta civil e da invasão. A imagem foi seguida por uma de Allie, a mulher de Tull com cicatrizes, jogada de um lado para o outro por balas que a iam matando sem absolutamente qualquer motivo... a não ser que os reflexos do atirador fossem um motivo. Depois apareceu o rosto de Cuthbert Allgood, rindo enquanto seguia ladeira abaixo para a própria morte, sempre soprando aquela amaldiçoada trompa... e então viu o rosto de Susan, contorcido, desfigurado pelo choro. *Todos os meus velhos amigos*, o pistoleiro pensou, sorrindo de modo terrível.

— Vou empurrar — disse.

Começou a empurrar, e quando a voz começou a falar ("Bom, empurre de novo! Bom, empurre de novo!"), sua mão tenteou sobre a haste em que o cabo da manivela fora montado. Por fim, encontrou o que sem dúvida estava procurando: um botão. Apertou.

— Adeus, companheiro! — disse animada a voz mecânica, que permaneceu, então, abençoadamente silenciosa por algumas horas.

3

Rodavam pelo escuro, mais rápido agora, já sem precisar ir tateando pelo caminho. A voz mecânica ainda se manifestou uma vez, sugerindo que comessem Crisp-A-La, e uma segunda vez dizendo que no final de um duro dia de trabalho não havia nada melhor que Larchies. Depois desse segundo conselho, não falou mais.

Assim que os contratempos de uma época morta foram afastados do vagonete, a viagem correu suave. O garoto tentava fazer sua parte e o pistoleiro permitia-lhe alguns movimentos, mas em geral bombeava sozinho, em grandes subidas e descidas do peito retesado. O rio oculto continuava a acompanhá-los, às vezes mais próximo, à direita, às vezes bem mais longe. Certa vez, produziu um barulho cavernoso, enorme e trovejante, como se estivesse atravessando um grande pórtico de catedral. Em outro momento, o ruído desapareceu quase por completo.

A velocidade e o vento batendo em seus rostos pareceram tomar o lugar da visão que não tinham e soltá-los em novas coordenadas de tempo. O pistoleiro estimou que faziam qualquer coisa entre 15 a 25 quilômetros por hora, sempre numa subida leve, quase imperceptível, que aos poucos os ia deixando esgotados. Quando pararam, dormiu como pedra. A comida estava de novo quase acabando. Mas nenhum dos dois se preocupou com isso.

Para o pistoleiro, a expectativa do clímax que se aproximava era tão aparentemente inexistente, mas tão real (e cumulativa) quanto a fadiga de fazer o vagonete avançar. Estavam perto do final do começo... ou pelo menos *ele* estava. Sentia-se como um ator colocado no centro do palco minutos antes de a cortina se levantar. Parado na marcação, com a primeira linha do texto seguramente decorada, ouvia a platéia invisível folhear os programas e se revirar nas poltronas. Vivia com uma considerável, respeitável bola de sombria antecipação na barriga, e achou bom o exercício que o fizera dormir. Pois quando *realmente* adormecia, era como a morte.

O garoto falava cada vez menos, mas em outro ponto de parada, num período de sono não muito antes de serem atacados pelos Vagos Mutantes, perguntou ao pistoleiro quase timidamente sobre a chegada da idade.

— Queria saber mais sobre isso — disse.

O pistoleiro apoiava as costas na manivela, um cigarro do minguante suprimento de tabaco preso nos lábios. Quando o garoto fez a pergunta, estava à beira de entrar em seu habitual sono carregado.

— Por que o interesse no assunto? — disse ele, achando graça.

A voz do garoto foi curiosamente áspera, como para esconder o embaraço.

— Só queria saber. — E, após uma pausa, ele acrescentou: — Sempre quis saber como é ficar adulto. Acho que o que dizem sobre isso é quase tudo mentira.

— Ninguém disse mentiras sobre minha maturidade — reagiu o pistoleiro. — E acho que dei o primeiro passo muito mais *cedo* do que você imagina...

— Sobre sua briga com o mestre — disse Jake num tom remoto. — É isso que quero ouvir.

Roland abanou a cabeça. Sim, é claro, o dia em que havia resolvido cruzar a linha; sem dúvida uma história que qualquer garoto gostaria de ouvir.

— Minha verdadeira maturidade só começou depois que meu pai me mandou embora. Acabei encontrando-a num ponto e noutro ao longo do caminho. — Fez uma pausa. — Um dia vi um não-homem enforcado.

— Um não-homem? Não entendo.

— Eu podia senti-lo, mas não podia vê-lo.

Jake assentiu, aparentando compreensão.

— Era invisível.

Roland ergueu as sobrancelhas. Nunca ouvira aquela palavra antes.

— Foi isso mesmo que você disse?

— Sim.

— Então que seja. De qualquer modo, havia gente que não queria que eu o enforcasse... Achavam que seriam amaldiçoados se eu fizesse aquilo, mas o sujeito havia adquirido um gosto pelo estupro. Sabe o que é?

— Sei — disse Jake. — E também acho que um sujeito invisível seria bom na coisa. Como conseguiu pegá-lo?

— Essa história fica para outro dia. — Mas ele sabia que não existiriam outros dias. Os dois sabiam que não haveria outros. — Dois anos depois, abandonei uma moça num lugar chamado King's Town, embora eu não quisesse fazer isso...

— Claro que queria — disse o garoto, e a suavidade na voz não disfarçava o tom de desacato. — Queria alcançar aquela Torre, estou certo? Não queria diminuir o ritmo da marcha... exatamente como os caubóis na Rede de meu pai.

Roland sentiu o rosto ficar vermelho no escuro, mas, quando falou, o tom era calmo:

— Essa foi a última fase, eu acho. A última fase do processo de me tornar adulto. Não tive noção das fases enquanto elas aconteciam. Só mais tarde fiquei sabendo.

Ele percebeu com um certo mal-estar que estava evitando o que o garoto queria ouvir.

— Acho que o ritual da chegada da idade *foi* parte disso, em cada momento — ele disse com uma certa relutância. — Foi uma coisa formal. Quase estilizada; como uma dança. — Riu sem vontade.

O garoto não disse nada.

— Era necessário que cada um fosse provado na batalha — explicou o pistoleiro.

4

Verão, e quente.

A Terra Plena chegara naquele ano como um amante vampiro, liquidando o solo e as colheitas dos arrendatários, tornando os campos da cidade-fortaleza de Gilead nus e estéreis. No oeste, a alguns quilômetros de distância e perto das fronteiras que marcavam o fim do mundo civilizado, a luta já começara. Todos os relatos eram desfavoráveis, mas todos se transformavam em coisa insignificante diante da onda de calor que envolvia as áreas centrais. O gado vivia de língua caída e olhos vazios nas baias dos currais. Porcos roncavam apaticamente, alheios ao sexo com as fêmeas e às facas sendo afiadas para o abate próximo. As pessoas se queixavam dos impostos e do serviço militar, como sempre faziam, mas havia uma apatia sob o árido jogo das paixões da política. O centro havia se esfiapado como uma velha tapeçaria que tivesse sido pisada, sacudida, lavada, pendurada e posta para secar. O cordão que prendia a última jóia no pescoço do mundo estava se soltando. As coisas não se mantinham mais juntas. A terra contraía a respiração no calor do futuro colapso.

O menino vagava pelo corredor superior do palácio de pedra que era seu lar, sentindo mas não compreendendo essas coisas. Andava também agressivo e vazio, esperando para ser preenchido.

Haviam se passado três anos desde o enforcamento daquele cozinheiro sempre capaz de encontrar petiscos para garotos famintos; Roland ficara mais alto e tinha adquirido volume nos ombros e na cintura. Com 14 anos, vestindo apenas uma calça desbotada de algodão, começava a se parecer com o homem que ia se tornar: alto, magro e ágil de movimentos. Ainda não conhecia o amor, mas duas das filhas mais novas de um comerciante da Cidade do Oeste tinham lhe atirado olhares. Havia sentido uma reação, e a sentia ainda mais fortemente agora. Mesmo na friagem do corredor, tinha o corpo suado.

À frente, ficavam os aposentos da mãe, e ele se aproximou desatento, pretendendo apenas cruzá-los e subir para o terraço, onde uma brisa rala e o prazer de sua mão o aguardavam.

Tinha acabado de passar pela porta quando uma voz o chamou:

— Ei, garoto.

Era Marten, o conselheiro. Vestido com uma suspeita, incômoda descontração — calça preta de equitação, quase tão apertada quanto a malha de um acrobata, e uma camisa branca, aberta até a metade do peito sem pêlos. O cabelo estava despenteado.

O garoto olhou-o em silêncio.

— Entre, entre! Não fique parado no corredor! Sua mãe quer falar com você. — A boca apenas sorria, mas os traços do rosto indicavam um humor mais intenso e mais debochado. Por baixo disso — e nos olhos dele — só havia frieza.

Na verdade, a mãe nem parecia querer vê-lo. Estava sentada na cadeira de espaldar baixo, junto à grande janela na sala principal de seus aposentos, a que dava vista para a pedra quente e lisa do pátio central. Usando um penhoar solto, informal, que não parava de escorregar de um ombro branco, só olhou uma vez para o garoto: um sorriso rápido, brilhante e triste como o sol de outono num curso d'água. Durante a conversa que se seguiu, examinou mais as próprias mãos que o filho.

Ele a via raramente agora e o fantasma das cantigas de ninar

(*rifle, pocotó, cabeça*)

quase desbotara em seu cérebro. Era, no entanto, uma estranha querida. Sentiu um medo informe e o brotar de um ódio incipiente de Marten, o mais próximo conselheiro do pai.

— Tudo bem, Ro? — a mãe perguntou em voz baixa. Marten, sorrindo para os dois, permaneceu ao lado dela com uma pesada e perturbadora mão perto do encontro do ombro branco com o pescoço branco. Os olhos castanhos de Marten tinham ficado quase pretos com o sorriso.

— Tudo — disse o garoto.

— Os estudos vão bem? Vannay está satisfeito? E Cort? — A boca repuxou com este segundo nome, como se ela tivesse saboreado alguma coisa amarga.

— Estou tentando — disse ele. Ambos sabiam que Roland não tinha o brilho da inteligência de Cuthbert, nem a agilidade de Jamie. Era lerdo, avançava a duras penas. Mesmo Alain era melhor nos estudos.

— E David? — Ela sabia da afeição do filho pelo falcão.

O garoto ergueu os olhos para Marten, que ainda sorria paternalmente diante da cena.

— Já não está em sua fase áurea.

A mãe pareceu estremecer; por um momento, a expressão de Marten ficou mais sombria, e a pressão da mão no ombro dela aumentou. Então a mãe contemplou a quente limpidez do dia, e tudo ficou como sempre tinha sido.

É uma charada, ele pensou. *Um jogo. Quem está jogando com quem?*

— Tem um corte na testa — disse Marten, sempre sorrindo e agora apontando um dedo negligente para a marca da última

(*obrigado por este dia instrutivo*)

pancada de Cort.

— Vai ser um guerreiro como seu pai ou está apenas brincando?

Dessa vez a mãe realmente estremeceu.

— As duas coisas — disse o garoto, encarando Marten e dando um sorriso amarelo. Mesmo ali estava muito quente. Marten parou bruscamente de sorrir.

— Agora pode ir para o terraço, garoto. Acho que tem o que fazer lá em cima.

— Minha mãe ainda não me mandou embora, lacaio!

O rosto de Marten se contorceu como se o garoto lhe tivesse batido com um chicote. O garoto ouviu o desagradável, miserável suspiro da mãe. Ela falou o nome dele.

Mas o sorriso duro permaneceu intacto no rosto do garoto, que deu um passo à frente.

— Não quer me dar uma prova de lealdade, lacaio? Em nome de meu pai, a quem você serve?

Marten o encarou, mal acreditando no que ouvia.

— Vá — disse Marten em voz baixa. — Vá procurar seu rumo.

Sorrindo um tanto raivosamente, o garoto se foi.

Quando fechou a porta e começou a voltar pelo mesmo caminho de onde viera, ouviu o lamento da mãe. Um som profundamente doloroso. E então, inacreditavelmente, o barulho do subordinado do pai batendo nela e mandando que fechasse a matraca.

Feche a matraca!

E depois ouviu o riso de Marten.

O garoto continuou a sorrir enquanto seguia para seu teste.

5

Jamie viera das lojas e, quando viu Roland cruzando o pátio de exercícios, correu para falar dos últimos comentários sobre derramamento de sangue e revolta no oeste. Acabou, no entanto, se mantendo distante, com as palavras silenciadas. Conheciam-se desde os tempos da infância e tinham brincado um com o outro, esmurrado um ao outro, e feito muitas explorações dentro dos muros onde ambos haviam sido criados.

Roland ultrapassou-o a passos largos, olhando sem ver, sorrindo aquele sorriso duro. Estava a caminho do chalé de Cort, onde as persianas se achavam abertas para repelir o calor selvagem. Cort tirava uns cochilos à tarde para poder desfrutar ao máximo das incursões noturnas aos caóticos e sujos bordéis da cidade baixa.

Jamie, num lampejo de intuição, soube o que estava por vir e, em seu estado de medo e êxtase, ficou dividido entre ir atrás de Roland ou chamar pelos outros.

Então, o estado hipnótico foi quebrado e ele correu para o prédio principal, gritando:

— Cuthbert! Alain! Thomas! — Os gritos soavam fracos, finos no calor. Todos eles sabiam, naquele modo intuitivo dos garotos, que Roland seria o primeiro a tentar cruzar a linha. Embora fosse cedo demais.

O terrível sorriso no rosto de Roland chamara a atenção de Jamie como nenhuma notícia de guerras, revoltas e feitiçarias poderia ter feito. Era mais importante que palavras saídas de uma boca sem dentes por cima de pés de alface.

Roland caminhou para o chalé do mestre e escancarou a porta com um chute. A porta foi jogada para trás, atingiu o gesso grosseiro, áspero, da parede e voltou.

Era a primeira vez que ele entrava lá. A porta se abria para uma cozinha austera, fria e escura. Uma mesa. Duas cadeiras de encosto reto. Dois armários. Um desbotado piso vitrificado estendendo-se em listras pretas desde o refrigerador, fixado no chão, até o balcão, onde havia facas penduradas, e à mesa.

Ali estava a privacidade de um homem público. O refúgio murcho de um violento beberrão das madrugadas que tivera um rude afeto por garotos de três gerações, e transformara alguns deles em pistoleiros.

— Cort!

Ele chutou a mesa, fazendo-a voar e bater no balcão. Facas caíram do suporte na parede em movimentos cintilantes.

Algo se mexeu pesadamente no outro cômodo, como o limpar semi-adormecido de uma garganta. O garoto não entrou, sabendo que a coisa era simulada, sabendo que Cort acordara imediatamente no outro cômodo do chalé e estava em pé atrás da porta com um olhar brilhante, esperando para quebrar o incauto pescoço do intruso.

— Cort, saia daí, lacaio!

Agora falava a Língua Superior e Cort escancarou a porta. Usava um *short* fino, de dormir; era um homem atarracado, de pernas curvas, marcado de cima a baixo por cicatrizes, o corpo engrossado pelo volume contorcido dos músculos. Tinha uma barriga saliente e redonda. O garoto sabia, por experiência própria, que era dura como mola de aço. O único olho bom o fitava da cabeça calva, irregular e machucada.

O garoto fez uma saudação formal.

— Não me ensine mais nada, lacaio. Hoje quem ensina sou eu.

— Veio cedo demais, chorão — disse Cort num tom descontraído, mas também se expressando na Língua Superior. — Acredito que dois anos antes, no mínimo. Só vou perguntar uma vez. Está disposto a voltar atrás?

O garoto se limitou a insistir no sorriso duro, horrível. Para Cort, que vira aquele sorriso em centenas de ensangüentadas, arruinadas situações de honra e desonra, aquilo era resposta suficiente — talvez a única resposta em que poderia acreditar.

— Isso é uma pena — disse o mestre num tom distraído. — Você tem sido um aluno extremamente promissor, o melhor em duas dúzias de anos, devo admitir. Ficarei triste em vê-lo quebrado e jogado num beco sem saída. Mas o mundo seguiu adiante. Maus tempos estão vindo a cavalo.

O garoto continuou calado (e teria sido incapaz de qualquer justificativa coerente, se fosse o momento dela), mas pela primeira vez o sorriso medonho se abrandou um pouco.

— Contudo, se existe revolta e feitiçaria no oeste — disse Cort —, existe também a linha do dever. Sou seu lacaio, garoto. Reconheço seu comando e me curvo a isso agora... mesmo que pela única vez... com toda a sinceridade.

E Cort, que o esbofeteara, o chutara, o fizera sangrar, o amaldiçoara, zombara dele e o identificara ao próprio verme da sífilis, dobrou um joelho e curvou a cabeça. O garoto tocou a carne curtida e vulnerável de seu pescoço com admiração.

— Levante-se, lacaio. Em paz.

Cort se levantou devagar e talvez houvesse dor atrás da máscara impassível das feições marcadas.

— É uma pena. Volte atrás, garoto tolo. Estou lhe dando uma chance. Volte atrás e espere.

O garoto não disse nada.

— Muito bem; se quer assim, que seja assim. — A voz de Cort ficou seca e prática. — Uma hora. E a arma de sua escolha.

— Vai levar seu bastão?

— Sempre levo.

— Quantos bastões foram tirados de você, Cort? — O que era a mesma coisa que perguntar: quantos garotos entraram no pátio quadrado além do Grande Salão e saíram como aprendizes de pistoleiro?

— Nenhum bastão será tirado hoje de mim — disse Cort devagar. — Lamento. Você não tem nenhuma chance, garoto. A pena para a superansiedade é a mesma que a pena para a falta de mérito. Não pode esperar?

O garoto se recordou de Marten parado na frente dele. O sorriso. E o barulho do golpe atrás da porta fechada.

— Não.

— Muito bem. Que arma você escolhe?

O garoto não disse nada.

O sorriso de Cort mostrou uma fileira irregular de dentes.

— Bem esperto para começar. Daqui a uma hora. Percebe que, com toda a probabilidade, jamais voltará a ver seu pai, sua mãe ou seus companheiros de ka?

— Sei o que o exílio significa — disse Roland em voz baixa.

— Vá agora e medite sobre o rosto de seu pai. Isso vai lhe fazer muito bem.

O garoto foi, sem olhar para trás.

6

O porão do celeiro era tremendamente frio, úmido, com cheiro de teias de aranha e água estagnada. O sol o iluminava com os raios empoeirados que passavam pelas janelas estreitas, mas ali não havia nada do calor do dia. Era onde o garoto guardava o falcão e onde o pássaro parecia bastante à vontade.

David não caçava mais no céu. Suas penas tinham perdido o radiante brilho animal de três anos atrás, mas seus olhos continuavam penetrantes e imóveis como sempre. Não é possível ser amigo de um falcão, se costuma dizer, a não ser que você seja meio falcão, alguém sozinho e só de passagem pela terra, sem amigos e sem precisar deles. O falcão não paga tributo ao amor ou à moral.

David era agora um velho falcão. O garoto gostaria muito de ser um falcão jovem.

— Ei — disse ele em voz baixa, estendendo o braço para a corrente do poleiro.

O falcão pousou no braço do garoto e ficou imóvel, sem capuz. Com a outra mão, o garoto pôs a mão no bolso e puxou um pedaço de carne seca. O falcão pegou-a habilidosamente no meio dos dedos e a fez desaparecer.

O garoto começou a alisar David com muito cuidado. Com toda a probabilidade, Cort não acreditaria se visse aquilo, mas Cort também não tinha acreditado que o tempo do garoto havia chegado.

— Acho que você vai morrer hoje — disse ele, continuando a alisá-lo. — Acho que vai participar de um sacrifício, como todas aquelas pequenas aves que nós o treinamos para atacar. Está lembrado? Não? Não faz mal. A partir de amanhã eu serei o falcão e todo ano, no dia de hoje, vou atirar para o céu em sua memória.

David permanecia em seu braço, silencioso e sem piscar, indiferente à vida ou à morte.

— Você está velho — disse o garoto num tom de reflexão. — E talvez nem seja meu amigo. Um ano atrás teria preferido bicar os meus olhos em vez daquele pedacinho de carne, não é? Cort ia achar graça. Mas se chegarmos bem perto... bem perto daquele sujeitinho enjoado... sem ele desconfiar... o que você acha, David? Morrer de velho ou honrar a amizade?

David não respondeu.

O garoto pôs-lhe o capuz e achou a trela, que estava enrolada na ponta do poleiro de David. Saíram do celeiro.

7

O pátio atrás do Grande Salão não era realmente um pátio, mas um corredor verde cujas paredes eram formadas por cercas vivas de uma vegetação muito densa e emaranhada. Fora usado para o rito da chegada da idade desde tempos imemoriais, muito antes de Cort e de seu antecessor, Mark, que ali morrera de um ferimento a faca provocado pela mão ultrazelosa de alguém. Muitos garotos saíram do corredor como homens, vindo de sua ponta direita, por onde o professor sempre entrava. A ponta direita ficava de frente para o Grande Salão, com toda a civilização e intriga do mundo iluminado. Um número muito maior de garotos, no entanto, tinha saído como eternos garotos, furtivamente, batidos e desonrados, vindo da ponta oeste, por onde os garotos sempre entravam. A ponta oeste ficava de frente para as fazendas e as casas de colono que ficavam além das fazendas; mais além, eram as florestas fechadas e bárbaras; mais além, Garlan e, além de Garlan, o deserto Mohaine. O garoto que se tornava um homem progredia da escuridão e da ignorância para a luz e a responsabilidade. O garoto que fosse derrotado podia apenas bater em retirada, para todo o sempre. A passagem era plana e verde como um campo de jogo. Tinha exatamente 50 metros de comprimento. No meio, abria-se uma faixa de terra. Era a linha.

Cada ponta ficava geralmente repleta de tensos espectadores e parentes, pois o ritual costumava ser organizado com grande precisão — 18 era a idade mais comum (aqueles que não faziam o teste até os 25 anos geralmente caíam no ostracismo e ficavam conhecidos como elementos dúbios, incapazes de encarar a realidade brutal do tudo-ou-nada do campo militar e do teste). Naquele dia, porém, só estavam lá Jamie DeCurry, Cuthbert Allgood, Alain Johns e Thomas Whitman. Tinham se agrupado na saída dos garotos, de boca aberta, francamente apavorados.

— Sua arma, estúpido! — sibilou Cuthbert, desesperado. — Esqueceu a arma!

— Estou com ela — disse o garoto, e se perguntou vagamente se a notícia de sua loucura já chegara aos prédios centrais, à sua mãe... e a Marten. O pai se achava numa caçada, devendo passar muitos dias fora. O garoto se sentia muito mal com isso, pois acreditava que encontraria compreensão, se não aprovação, no pai. — Cort veio?

— Cort está aqui. — A voz chegou da extremidade do corredor e logo Cort apareceu, vestindo uma camiseta de malha. Uma pesada tira de couro cercava sua testa para manter o suor longe dos olhos. Usava um cinturão escuro para manter as costas retas. Numa das mãos, trazia um bastão de madeira e ferro, afiado numa ponta e com o formato de uma faca extremamente rombuda na outra. Começou a litania que todos eles, graças ao juramento de sangue dos antepassados desde os tempos do Eld, aprendiam já na tenra infância, com vistas ao dia em que, talvez, se tornassem homens.

— Veio até aqui com um objetivo sério, garoto?

— Vim com um objetivo sério.

— Veio como um proscrito da casa de seu pai?

— Tive de vir assim. — E permaneceria proscrito até conseguir levar a melhor sobre Cort. Se a vitória fosse de Cort, permaneceria para sempre proscrito.

— Veio com a arma que escolheu?

— Vim.

— Qual é a arma? — Essa era a vantagem do mestre, a possibilidade de adaptar o plano de batalha ao estilingue, lança, clava ou arco.

— Minha arma é o David.

Cort só hesitou um instante. Estava espantado e, muito provavelmente, confuso. Isso era bom.

Talvez fosse bom.

— Então vai mesmo me desafiar, garoto?

— Vou.

— Em nome de quem?

— Em nome de meu pai.

— Diga o nome dele.

— Steven Deschain, da linha do Eld.

— Seja rápido, então.

E Cort avançou para o corredor, passando o bastão de uma mão para outra. Os garotos suspiraram, agitados como pássaros, enquanto o pequeno *dinh* avançava ao encontro do mestre.

Minha arma é o David, mestre.

Cort havia entendido? E se assim foi, entendera plenamente? Nesse caso, era provável que tudo estivesse perdido. A coisa girava em torno da surpresa — e da energia que pudesse ter sobrado no falcão. Mas David não poderia ficar parado, estúpido e desinteressado no braço do garoto, enquanto Cort atacasse loucamente com o bastão de madeira e ferro? E se ele tentasse escapar para o céu quente lá no alto?

Enquanto um adversário se aproximava do outro, cada um ainda de seu lado da linha, o garoto tirou o capuz do falcão com dedos sem força. O capuz caiu na grama verde e Cort ficou imediatamente imóvel. O garoto viu os olhos do velho guerreiro caírem sobre o pássaro e se alargarem com espanto e um lento alvorecer de entendimento. *Agora* ele compreendia.

— Ah, seu pequeno tolo — Cort quase gemeu, e Roland ficou subitamente furioso por ser repreendido daquele jeito.

— Ataque! — gritou, erguendo o braço.

E David voou como silenciosa bala marrom, as asas curtas e grossas batendo uma, duas, três vezes antes de atingir o rosto de Cort. As garras buscaram o alvo, o bico atacou. Gotas vermelhas saltaram no ar quente.

— Aí, Roland! — Cuthbert gritou em delírio. — O primeiro sangue! O primeiro sangue para regar meu coração! — Bateu no peito com força suficiente para produzir uma contusão que levaria uma semana para desaparecer.

Cort cambaleou para trás, sem equilíbrio. O bastão de madeira e ferro subia e batia inutilmente no ar em volta da cabeça do garoto. O falcão era uma trouxa ondulante e borrada de penas.

O garoto se atirou para a frente, a mão estendida em cunha, o cotovelo travado. Era a sua chance e muito provavelmente a única que teria.

Cort, no entanto, foi muito rápido e se esquivou. O pássaro havia coberto 90% da visão de Cort, mas o bastão tornou a subir com a ponta rombuda para a frente, e Cort, a sangue frio, executou a única ação que poderia alterar os eventos naquele ponto. Bateu em seu próprio rosto três vezes, os bíceps se movendo impiedosamente.

David caiu, quebrado, contorcido. Uma asa batia freneticamente no chão. Os olhos frios, predadores, encaravam febrilmente o rosto do mestre, onde o sangue escorria. O olho ruim de Cort saltava agora cegamente da órbita.

O garoto aplicou um chute na têmpora de Cort, acertando com precisão. Isso devia ter encerrado a coisa, mas não foi assim. Por um momento, o rosto de Cort oscilou; então ele se arremessou para a frente, agarrando o pé do garoto.

O garoto deu um pulo para trás e tropeçou nos próprios pés. Caiu em cheio no chão. Ouviu, de muito longe, o barulho de Jamie gritando de frustração.

Cort estava pronto para cair sobre ele e acabar com a luta. Roland perdera a vantagem e os dois sabiam disso. Por um instante, se olharam, o mestre parado sobre o aluno com gotas de sangue escorrendo do lado esquerdo do rosto, o olho ruim agora fechado, exceto por uma fina fenda branca. Não haveria bordéis para Cort naquela noite.

Algo afiado rasgou a mão do garoto. Era David, dilacerando cegamente qualquer coisa que pudesse alcançar. Suas duas asas estavam quebradas. Era incrível que ainda estivesse vivo.

O garoto agarrou-o como se ele fosse uma pedra. Desprezou o bico que não parava de avançar, golpear, e que ia arrancando tiras de carne de seu pulso. Quando Cort voou para ele, de braços e pernas abertos, o garoto atirou o falcão para cima.

— Aí, David! Mate!

Então Cort cobriu o sol e caiu em cima do garoto.

8

O pássaro ficou imprensado entre os dois e o garoto sentiu os calos de um polegar tateando pela órbita de seu olho. Virou o rosto, ao mesmo tempo erguendo parte da coxa para reter o joelho de Cort, que procurava seus genitais. A mão acertou três duros golpes no meio do pescoço de Cort. Foi como bater numa pedra com nervuras.

Então Cort deu um forte grunhido. Seu corpo estremeceu. Pelo canto do olho, o garoto viu a mão tentando pegar o bastão caído e, com uma violenta estocada, conseguiu tirá-lo do alcance. David havia enfiado uma garra na orelha direita de Cort. A outra batia impiedosamente na face do mestre, transformando-a numa ruína. Sangue quente respingava no rosto do garoto com um cheiro de cobre esmerilhado.

O punho de Cort atingiu o pássaro uma vez, quebrando-lhe a espinha. Atingiu-o de novo e o pescoço estalou, ficando num ângulo torto. Mas ainda assim a garra segurava. Já não havia orelha; só um buraco vermelho entrando ao lado do crânio. O terceiro golpe atirou o pássaro longe, finalmente livrando o rosto de Cort.

O momento era claro, o garoto bateu com o lado da mão na ponte do nariz do mestre, usando toda a sua energia e quebrando o osso fino. O sangue esguichou.

A mão de Cort, movendo-se às cegas, atacava nas nádegas do garoto, tentando arriar suas calças, tentando atingir suas bolas. Roland rolou para o lado, encontrou o bastão de Cort e ficou de joelhos.

Cort também ficou de joelhos, arreganhando os dentes. Incrivelmente, ficaram se encarando de cada lado da linha, embora tivessem trocado de posição e Cort se encontrasse agora no lado onde Roland dera início à disputa. O rosto do velho guerreiro estava coberto de sangue. O único olho que enxergava rolava furiosamente na órbita. O nariz, despedaçado, ficara num ângulo deformado, torto. Ambas as bochechas caíam em abas.

O garoto agarrava o bastão de Cort como um jogador no Gran' Points esperando o arremesso do pássaro de couro.

Cort fez a finta para os lados, depois foi direto em sua direção.

Roland estava pronto e não se deixou minimamente enganar por aquele último truque, que os dois sabiam como era ruim. O bastão girou num arco plano, atingindo o crânio de Cort com um baque surdo. Cort caiu de lado, contemplando o garoto com uma cega expressão de debilidade. Um pequeno filete de cuspe saía de sua boca.

— Renda-se ou morra — disse o garoto. Parecia ter a boca cheia de algodão molhado.

E Cort sorriu. Quase toda a consciência cessara e ele ia ficar uma semana de cama em seu chalé, imerso na escuridão de um estado de coma. Agora, porém, resistia com toda a energia de uma vida impiedosa, inflexível. Viu a necessidade de confabular nos olhos do garoto e, mesmo com uma cortina de sangue entre os dois, compreendeu que era uma necessidade desesperada.

— Eu me rendo, pistoleiro. Eu me rendo sorrindo. No dia de hoje, você fez lembrar a face de seu pai e de todos aqueles que vieram antes dele. Que maravilha você fez!

O olho claro de Cort se fechou.

O pistoleiro sacudiu-o com cuidado, mas com insistência. Os outros estavam agora à sua volta, mãos ansiosas para dar pancadinhas nas suas costas e pegar no seu ombro; mas eles recuaram, com medo, sentindo um novo fosso. Isto foi menos estranho do que poderia ter sido, porque sempre havia existido um fosso entre aquele pistoleiro e os outros.

O olho de Cort se revirou e tornou a abrir.

— A chave — disse o pistoleiro. — Meu direito de primogenitura, mestre. Preciso dela.

O direito de primogenitura eram as armas, não os revólveres pesados do pai — com o peso da madeira de sândalo —, mas ainda assim armas. Proibidas a todos, com exceção de uns poucos. Sob o alojamento de caserna onde, pela antiga lei, longe do carinho da mãe, ele agora teria de residir, havia uma reforçada caixa forte com suas armas de aprendiz: espingardas desajeitadas e incômodas de aço niquelado, com cano grosso. Tinham, no entanto, servido a seu pai durante seu período de aprendizagem e seu pai agora governava — pelo menos nominalmente.

— Sua necessidade é assim tão terrível? — murmurou Cort, como se falasse dormindo. — Tão insistente? É, era o que eu temia. Tamanha necessidade tinha de transformá-lo num idiota. E, no entanto, você venceu.

— A chave.

— O falcão foi uma bela manobra. Uma bela arma. Quanto tempo demorou para treinar o safado?

— Nunca treinei o David. Só fui amigo dele. A chave.

— Debaixo do meu cinto, pistoleiro. — O olho tornou a se fechar.

O pistoleiro pôs a mão sob o cinto de Cort, sentindo a forte pressão da barriga do homem, dos enormes músculos ali existentes, agora frouxos e adormecidos. A chave estava numa argola de metal. Ele a apertou na mão, contendo o ímpeto louco de erguê-la para o céu numa saudação de vitória.

Levantou-se e estava finalmente se virando para os outros quando a mão de Cort tateou para seu pé. Por um momento, o pistoleiro temeu algum último ataque e ficou de guarda, mas Cort só ergueu o olho e acenou com um dedo ralado.

— Agora vou dormir — Cort murmurou calmamente. — Vou seguir a trilha. Talvez até a clareira que existe no fim, eu não sei. Não lhe ensino mais nada, pistoleiro. Você foi melhor que eu, e com dois anos a menos que seu pai, que na época era o aluno mais jovem. Mas me deixe lhe dar um conselho.

— Qual? — com impaciência.

— Para ouvir, limpe esse olhar arrogante da cara, seu verme.

Espantado, Roland fez o que ele pedira (embora os outros, que se agachavam e se escondiam mais atrás, não o tenham percebido).

Cort assentiu e murmurou uma única palavra.

— Espere.

— *O quê?*

O esforço do homem para falar concedeu grande ênfase a suas palavras:

— Deixe a notícia e a lenda correrem antes de você. Existem aqueles que se encarregarão das duas. — Os olhos oscilaram para além do ombro do pistoleiro. — Tolos, talvez. Deixe sua sombra se estender sobre a face das pessoas. Deixe que se torne negra. — Ele sorriu grotescamente. — No tempo certo, as palavras poderão até encantar um encantador. Entende o que estou querendo dizer, pistoleiro?

— Sim. Acho que sim.

— Vai aceitar meu último conselho como seu mestre?

O pistoleiro balançou para trás nos calcanhares, uma postura contida, reflexiva, que sugeria o homem maduro. Olhou para o céu. Estava ficando carregado, roxo. O calor do dia ia diminuindo e nuvens de trovoada no oeste sinalizavam chuva. Riscos de relâmpagos fustigavam o contorno sereno dos contrafortes a quilômetros de distância. Além deles, as montanhas. Além delas, as crescentes explosões de sangue e irracionalidade. Ele estava cansado, cansado até os ossos e até mais fundo. Tornou a olhar para Cort.

— Vou enterrar meu falcão esta noite, mestre. Depois vou à cidade baixa para informar a quem, nos bordéis, quiser ter notícias suas. Talvez diga algumas palavras de consolo a um ou dois.

Os lábios de Cort se separaram num sorriso doloroso. Depois ele dormiu.

O pistoleiro ficou de pé e se virou para os outros.

— Arranjem uma maca e levem-no para casa. E tragam uma enfermeira. Não, duas enfermeiras, está bem?

Eles ainda o contemplavam, presos a um momento de tensão que nenhum deles conseguia facilmente romper. Ainda esperavam ver uma coroa de fogo sobre ele ou uma alteração mágica de suas feições.

— Duas enfermeiras — o pistoleiro repetiu, e deu um sorriso. Eles devolveram o sorriso. Nervosos.

— Seu maldito ladrão de cavalos! — Cuthbert gritou de repente, rindo. — Não deixou carne suficiente para termos vontade de bicar o osso!

— O mundo não seguirá adiante amanhã — disse o pistoleiro, citando o velho adágio com um novo sorriso. — Alain, seu bunda-mole! Mova seu barco.

Alain se ocupou do problema de conseguir a maca; Thomas e Jamie foram juntos para o *hall* principal e à enfermaria.

O pistoleiro e Cuthbert se entreolharam. Sempre tinham sido amigos íntimos — pelo menos tão íntimos quanto lhes permitiam as características peculiares de suas personalidades. Havia um brilho curioso, especulativo, nos olhos de Bert, e o pistoleiro reprimiu, com grande dificuldade, o impulso de pedir que ele não requeresse o teste antes de um ano, ou mesmo

18 meses, para não ser obrigado a servir no oeste. Mas tinham atravessado uma grande provação juntos, e o pistoleiro achava impossível dizer uma coisa dessas sem que o olhar em seu rosto pudesse de novo ser interpretado como arrogância. *Já comecei a conspirar*, ele pensou, ficando um tanto desanimado. Então pensou em Marten, na mãe, e mostrou um falso sorriso para o amigo.

Estou aqui para ser o primeiro. Percebia claramente a coisa pela primeira vez, embora já tivesse pensado várias vezes no assunto, sem grande interesse. *Eu* sou *o primeiro.*

— Vamos — disse.

— Com prazer, pistoleiro.

Saíram pela ponta direita do corredor, limitado pelas cercas vivas; Thomas e Jamie já voltavam com as enfermeiras. Elas pareciam fantasmas nas túnicas brancas e finas de verão com uma faixa vermelha no peito.

— Quer que eu o ajude a enterrar o falcão? — Cuthbert perguntou.

— Quero — disse o pistoleiro. — Seria muita gentileza, Bert.

E mais tarde, quando a escuridão chegou trazendo chuvas e trovões intensos; e enquanto enormes, fantasmagóricos blocos de nuvens rolavam pelo céu e relâmpagos cobriam as ruas tortuosas da cidade baixa com um fogo azul; enquanto os cavalos amarrados em seus postes abaixavam a cabeça e deixavam cair a cauda, o pistoleiro tomou uma mulher e deitou-se com ela.

Foi rápido e bom. Quando acabou e um ficou deitado ao lado do outro sem falar, o granizo começou a cair com brusca, desconcertante ferocidade. No andar de baixo, mas longe, alguém estava tocando o *ragtime* "Hey Jude". A mente do pistoleiro se voltou meditativa para dentro de si mesma. Foi naquele silêncio quebrado pelo granizo, pouco antes de ser dominado pelo sono, que ele pensou, pela primeira vez, que talvez fosse o último pistoleiro.

9

Não contou tudo isso ao garoto, mas é possível que a maior parte tenha sido passada. Já se dera conta de que se tratava de um garoto extremamente perceptivo, não tão diferente de Alain, que era muito bom naquela semi-empatia, semitelepatia que chamavam "o toque".

— Está dormindo? — o pistoleiro perguntou.

— Não.

— Entendeu o que contei?

— Entendi? — o garoto perguntou com surpreendente desdém. — Se eu entendi? Era um enigma?

— Não. — Mas o pistoleiro ficou na defensiva. Nunca contara a ninguém sobre sua chegada à idade, pois tinha uma posição ambígua acerca do assunto. Naturalmente, o falcão fora uma arma perfeitamente aceitável, mas fora também um truque. E uma deslealdade. A primeira de muitas outras. *E me digam... Estarei realmente me preparando para atirar este garoto nas mãos do homem de preto?*

— Entendi a história, perfeitamente — disse o garoto. — Era um jogo, não era? Homens adultos sempre têm de fazer esses jogos? E tudo tem de ser uma desculpa para outro tipo de jogo? Os homens amadurecem ou fazem apenas o jogo da chegada da idade?

— Você não sabe tudo — disse o pistoleiro, tentando conter a onda de raiva. — É apenas um garoto.

— Certo. Mas sei o que eu sou para você.

— E o que é? — o pistoleiro perguntou concisamente.

— Uma carta de reserva.

O pistoleiro teve vontade de pegar uma pedra e abrir a cabeça do garoto. Em vez disso, falou calmamente.

— Vá dormir. Garotos precisam dormir.

E mentalmente ouviu o eco de Marten: *Vá procurar seu rumo.*

Sentou-se rigidamente no escuro, atônito e apavorado (pela primeira vez em sua existência) com a aversão que poderia vir a sentir por si próprio.

10

Durante o período de vigília seguinte, a estrada de ferro se aproximou ainda mais do rio que corria no escuro, e eles se depararam com os Vagos Mutantes.

Jake viu o primeiro e deu um grito forte.

A cabeça do pistoleiro, bem firme à frente enquanto trabalhava com a manivela do vagonete, deu um solavanco para a direita. Havia uma espécie de esverdeado podre pulsando debilmente e brilhando como um fogo-fátuo logo abaixo deles. Pela primeira vez tomou consciência do odor: fraco, desagradável, úmido.

O esverdeado era um rosto — ou poderia ser chamado de rosto por uma pessoa de temperamento caridoso. Sobre o nariz achatado, olhos protuberantes de inseto os espreitavam sem expressão. O pistoleiro sentiu um rastejar atávico em seus intestinos e genitais. Acelerou ligeiramente o ritmo dos braços e da manivela do vagonete.

O rosto brilhante sumiu.

— Que diabo foi *isso*? — perguntou o garoto, chegando mais para perto do pistoleiro. — Que... — As palavras emudeceram em sua garganta quando eles se defrontaram e depois ultrapassaram um grupo de três formas debilmente luminosas, paradas entre os trilhos e o rio invisível, imóveis a contemplá-los.

— São os Vagos Mutantes — disse o pistoleiro. — Acho que não vão nos incomodar. Provavelmente estão com tanto medo de nós quanto nós de...

Uma das formas se destacou e cambaleou para os dois. Era o rosto de um idiota esfomeado. O corpo fraco e nu se convertera numa massa cheia de nódulos com membros e saliências tentaculares.

O garoto gritou de novo e se encostou na perna do pistoleiro como um cão assustado.

Um dos braços-tentáculos da coisa tateou sobre a plataforma lisa do vagonete. Sugeria umidade e escuridão. O pistoleiro soltou a manivela e sacou o revólver. Acertou uma bala na testa do idiota faminto. O rosto desabou, o fraco brilho de pântano se extinguindo como lua eclipsada. O disparo se conservou nítido e reluzente nas retinas escuras dos dois, sumindo apenas com relutância. O cheiro da pólvora consumida era quente, selvagem e estranho naquele lugar isolado.

Havia outros, muitos. Nenhum avançava abertamente, mas estavam fazendo um cerco nos trilhos, como um silencioso, horrendo grupo de curiosos.

— Talvez tenha de bombear para mim — disse o pistoleiro. — Você consegue?

— Consigo.

— Então se prepare.

O garoto continuou perto dele, o corpo preparado. Os olhos percebiam os Vagos Mutantes somente quando o vagonete os ultrapassava, nunca em profundidade; não viam mais do que tinham de ver. O garoto construíra um protetor psíquico contra o terror, como se o próprio id tivesse vazado pelos poros para formar um escudo. Se ele possuía o toque, o pistoleiro ponderou, aquilo não seria impossível.

O pistoleiro bombeava firmemente, mas a velocidade não aumentava. Os Vagos Mutantes podiam cheirar o terror dos dois, ele sabia, mas duvidava que apenas o terror fosse suficiente para motivá-los. Ele e o garoto eram, afinal, criaturas da luz, e de modo integral. *Como devem nos odiar*, pensou e se perguntou se teriam odiado o homem de preto da mesma maneira. Achava que não, talvez o homem de preto tivesse passado entre eles como a sombra de uma asa escura numa escuridão maior.

O garoto fez um barulho com a garganta e o pistoleiro virou a cabeça quase por acaso. Quatro daquelas criaturas já estavam atacando o vagonete num avanço trôpego — um em vias de encontrar apoio para as mãos.

O pistoleiro largou a manivela e de novo sacou o revólver, o mesmo movimento sonolentamente casual. Alvejou o líder mutante na cabeça. A criatura deixou escapar um ruído suspirante, soluçante, e começou a arreganhar os dentes. Suas mãos eram flácidas como um peixe, e mortas, os dedos aderiam uns aos outros como dedos de uma luva que tivesse ficado muito tempo mergulhada na lama seca. Uma das mãos cadavéricas encontrou o pé do garoto e começou a puxar.

O garoto gritou agudamente no útero de granito.

O pistoleiro acertou o mutante no peito, que começou a babar através do sorriso. Jake estava escorregando pelo lado. O pistoleiro agarrou um dos braços do garoto e também quase perdeu o equilíbrio. A coisa era incrivelmente forte. O pistoleiro pôs outra bala na cabeça do mutante e um de seus olhos saltou como um doce na máquina. Contudo, o mutante puxava. Empenharam-se num silencioso cabo-de-guerra pelo corpo de Jake, que se debatia, se contorcia. O Vago Mutante o agarrava como se ele fosse o ossinho da sorte de um frango. Seu desejo seria, sem a menor dúvida, roê-lo.

O vagonete estava diminuindo a marcha. Outros começaram a se aproximar — o sem braços, o coxo, o cego. Talvez só estivessem procurando um Jesus capaz de curá-los, capaz de fazê-los se levantar da escuridão como Lázaro.

É o fim para o garoto, o pistoleiro pensou com perfeito sangue frio. *O fim esperado. Esqueça e bombeie ou insista e seja enterrado com ele. É o fim para o garoto.*

Deu um tremendo puxão no braço de Jake e atirou na barriga do mutante. Por um momento paralisante, o aperto da coisa ficou ainda mais forte, e Jake começou de novo a escorregar pela borda. Então, a luva morta de lama afrouxou e o Vago Mutante caiu de cara, ainda sorrindo, atrás do vagonete que diminuía a velocidade.

— Achei que você fosse me abandonar — o garoto soluçava. — Achei... Achei...

— Segure no meu cinturão — disse o pistoleiro. — Segure o mais firme que puder.

A mão se encaixou no cinturão e agarrou-se ali; o garoto estava respirando em grandes arfadas silenciosas, mas convulsas.

O pistoleiro começou de novo a bombear com firmeza e o vagonete ganhou velocidade. Os Vagos Mutantes recuaram um passo e viram-nos se afastar com expressões quase humanas (ou pateticamente humanas), expressões que produziam a fosforescência fraca, comum aos peixes estranhos que, sob pressão incrível e mortal, vivem nas grandes profundidades. Aquelas faces não estampavam ódio ou irritação, só o que parecia ser um semiconsciente e idiota sentimento de pesar.

— Estão sumindo — disse o pistoleiro. Os músculos retesados de seu baixo ventre e dos genitais tiveram um relaxamento mínimo. — Estão...

Os Vagos Mutantes tinham colocado pedras nos trilhos. O caminho estava bloqueado. Seria um trabalho rápido, simples, talvez só um minuto bastasse para remover as pedras, mas teriam de parar. E alguém precisaria descer para tirar as pedras. O garoto gemia e, tremendo, chegou para mais perto do pistoleiro. O pistoleiro soltou a manivela e o vagonete deslizou silencioso até as pedras, onde bateu e parou.

Os Vagos Mutantes reiniciaram o cerco, quase distraidamente, quase como se estivessem apenas passando por ali e, perdidos numa escuridão fantástica, encontrassem pessoas a quem pedir informação. Eram os amaldiçoados fazendo uma reunião sob as antigas rochas.

— Eles vão nos pegar? — o garoto perguntou, agora calmamente.

— De jeito nenhum. Fique quieto um segundo.

O pistoleiro olhou para as pedras. No fundo, os mutantes eram fracos, é claro, e não tinham sido capazes de arrastar nenhuma rocha maior para bloquear o caminho. Só pedras pequenas. Ainda que suficientes para detê-los, para obrigar alguém a...

— Desça — disse o pistoleiro. — Vai ter de tirar as pedras. Eu lhe dou cobertura.

— Não — o garoto murmurou. — Por favor.

— Não posso lhe dar um revólver e não posso tirar as pedras e disparar ao mesmo tempo. Você tem de descer.

Os olhos de Jake se agitavam terrivelmente; por um instante, seu corpo estremeceu no ritmo das reviravoltas da mente, mas ele acabou saltando pela borda do vagonete e começou a jogar as pedras para a direita e para a esquerda, trabalhando com velocidade frenética, sem levantar a cabeça.

O pistoleiro sacou os revólveres e esperou.

Duas das criaturas, mais cambaleando do que andando, avançaram para o garoto com braços pastosos. Os revólveres fizeram seu trabalho, picotando a escuridão com feixes de luz vermelhos e brancos que cravavam agulhas de dor nos olhos do pistoleiro. O garoto gritava e continuava a atirar as pedras para os lados. O clarão de feitiçaria dos disparos saltava, dançava. Mesmo assim continuava difícil enxergar, e isso era o pior. Tudo acabava mergulhado nas sombras e nas ilusões da retina.

Um dos mutantes, que tinha pelo menos um certo brilho, avançou de repente para o garoto com os braços de borracha do bicho-papão. Olhos que rasgavam a cabeça até a metade rolavam aquosamente.

Jake tornou a dar um grito e virou-se para lutar.

O pistoleiro atirou sem se dar ao luxo de especular se a visão borrada não acabaria provocando um tremor terrível nas mãos; as duas cabeças, afinal, estavam a poucos centímetros uma da outra. Foi o mutante quem caiu.

Jake removia freneticamente as pedras. Os mutantes se deslocavam num círculo lento, bem junto à linha amarela invisível que marcaria o início da via férrea. Pouco a pouco, iam fechando o círculo, e agora já estavam muito perto. Outros chegavam, aumentando o efetivo.

— Tudo bem — disse o pistoleiro. — Suba. Rápido.

Quando o garoto se moveu, os mutantes investiram contra eles. Jake pulou para dentro do vagonete, lutando para ficar de pé; o pistoleiro já tornava a bombear, exausto. Ambos os revólveres tinham voltado para os coldres. Precisavam fugir. Era sua única chance.

Mãos estranhas batiam no metal da superfície do carro. O garoto segurava agora com as duas mãos o cinturão do pistoleiro, o rosto apertado com força na parte de baixo das costas dele.

Um grupo de mutantes pulou para os trilhos na frente do vagonete, os rostos cheios daquela estúpida, idiota antecipação. O pistoleiro estava cheio de adrenalina, e o carro voou sobre os trilhos cortando a escuridão. Atingiram as quatro ou cinco lastimáveis coisas com força total. Elas voaram como bananas podres golpeadas do cacho.

Cada vez mais à frente, para a escuridão silenciosa, sinistra, que vinha voando.

Séculos depois, o garoto levantou o rosto para o vento da corrida, apavorado mas querendo saber o que se passava. O espectro dos disparos ainda se prolongava em suas retinas. Fora isso, nada havia para ver além do escuro e nada para ouvir além do ronco do rio.

— Eles foram embora — disse o garoto, de repente com medo que os trilhos acabassem no meio daquela escuridão, e antecipando o perigoso baque que os faria saltar da linha, que os reduziria a contorcidas ruínas humanas. Jake viajara em automóveis; um dia, o pai mal-humorado guiava a 140 na estrada de New Jersey quando foi parado por um policial, que ignorou os 20 dólares estendidos com a habilitação e entregou-lhe uma multa. Daquele jeito, no entanto, Jake nunca viajara: o vento, o escuro e os terrores à frente e atrás; o barulho do rio como uma voz com rouquidão de chocalho — a voz do homem de preto. Os braços do pistoleiro eram como pistões numa lunática fábrica humana.

— Eles foram embora — o garoto disse timidamente, as palavras arrancadas de sua boca pelo vento. — Agora pode ir mais devagar. Já os deixamos para trás.

Mas o pistoleiro não ouviu. E foram se lançando cada vez mais à frente na estranha escuridão.

11

Continuaram seguindo por três "dias" sem incidentes.

12

Durante o quarto período de vigília (na metade dele? a três quartos do início? não sabiam — sabiam apenas que ainda não estavam cansados o bastante para parar), houve uma forte pancada embaixo deles; o vagonete oscilou e seus corpos se inclinaram de imediato para a direita, contra a gravidade, enquanto os trilhos faziam uma volta gradual para a esquerda.

Havia uma luz à frente — um brilho tão fraco e estranho que pareceu, a princípio, ser um elemento totalmente novo, não terra, ar, fogo ou água. Não tinha cor e só podia ser percebido pelo fato de os corpos dos dois terem entrado numa dimensão superior à dos sentidos habituais. Os olhos haviam se tornado tão sensíveis à luz que repararam no brilho quase dez quilômetros antes de se aproximarem de sua fonte.

— O final — disse o garoto com uma voz tensa. — É o final.

— Não. — O pistoleiro falou com estranha segurança. — Não é.

E não era. Alcançavam luz, mas não a luz do dia.

Quando se aproximaram da fonte do brilho, viram que o paredão de rocha à esquerda desaparecera e os trilhos tinham se unido a outros, que os cruzavam em complexa teia de aranha. A luz os mostrava como polidos vetores. Em alguns, havia escuros vagões de carga e vagões de passageiros que não passavam de diligências adaptadas aos trilhos. Pareciam galeões fantasmas encurralados num subterrâneo mar de sargaços, e deixaram o pistoleiro nervoso.

A luz ficou mais forte, machucando um pouco os olhos, mas a variação foi suficientemente lenta para terem tempo de se adaptar. Saíram do escuro para a luz como mergulhadores saindo das profundezas em diversos estágios.

À frente, e cada vez mais perto, o contorno de um enorme hangar se desenhava na escuridão. Em suas paredes, havia umas 24 portas de acesso, reveladas por amarelados quadriláteros de luz. À medida que se aproximaram, elas foram passando do tamanho de portinhas de brinquedo a entradas com mais de seis metros de altura. O vagonete penetrou através de uma das portas situadas no meio do hangar. Acima dela havia uma série de inscrições, certamente em diversos idiomas, deduziu o pistoleiro. Ele ficou assombrado ao perceber que conseguia ler a última; era uma antiga raiz da Fala Superior, e dizia:

VIA 10 PARA A SUPERFÍCIE E ÁREAS A OESTE

A luz no interior era mais brilhante, e os trilhos continuavam se encontrando, se fundindo por meio de uma série de chaves de desvios. Ali alguns sinais de tráfego ainda funcionavam, piscando eternos vermelhos, verdes e amarelos.

Rolaram entre elevadas plataformas de pedra, enegrecidas pela passagem de milhares de trens, e chegaram a uma espécie de entroncamento central. O pistoleiro deixou o vagonete seguir lentamente até parar, e olhou em volta.

— Parece um metrô — disse o garoto.

— Metrô?

— Não importa. Você não ia entender o que estou falando. *Eu* mesmo já não entendo mais o que estou falando.

O garoto subiu para o cimento rachado. Olharam para os quiosques silenciosos, desertos, onde livros e jornais eram antigamente negociados; havia também uma sapataria, uma loja de roupas de mulher e uma loja de armas (o pistoleiro, de repente cheio de entusiasmo, viu revólveres e rifles; um exame mais detido mostrou que os canos haviam sido tapados com chumbo; ainda assim ele pegou um arco, que pendurou nas costas, e um estojo de flechas, que pareciam inúteis e só fariam peso). Em algum lugar um exaustor não parava de renovar o ar, como se fizesse aquilo há milhares de anos — embora talvez não fosse fazê-lo por muito mais tempo. Raspava em alguma coisa num certo ponto da rotação, o que serviu para lembrar que o moto-perpétuo, mesmo sob condições estritamente controladas, ainda era um sonho louco. O ar possuía um cheiro mecânico. Os tênis do garoto e as botas do pistoleiro produziam ecos fortes.

— Ei! Ei... — gritou o garoto.

O pistoleiro se virou e se aproximou dele. Jake estava parado, atônito, no quiosque dos livros. No interior do quiosque, estendida num canto, havia uma múmia. Vestia um uniforme azul com insígnias douradas — parecia um uniforme de ferroviário. Havia um jornal antigo, perfeitamente conservado, no colo da coisa morta, mas o jornal se reduziu a pó quando o pistoleiro encostou a mão nele. A cara da múmia parecia uma maçã velha, murcha. Cuidadosamente, o pistoleiro tocou no rosto. Houve uma pequena aragem de poeira. Quando o ar clareou, puderam olhar através da pele e ver o interior da boca da múmia. Um dente de ouro cintilava.

— Gás — murmurou o pistoleiro. — Os antigos habitantes fabricavam um gás que provocaria isto. Ou pelo menos foi o que Vannay nos contou.

— O sujeito que ensinava pelos livros.

— Sim. Ele.

— Aposto que esses antigos habitantes fizeram guerras com este gás — disse o garoto num tom sombrio. — Mataram *outros* antigos habitantes com ele.

— Tenho certeza de que você tem razão.

Havia talvez uma dúzia de outras múmias. Todas, com exceção de duas ou três, usavam o uniforme azul com insígnias douradas. O pistoleiro especulou que o gás devia ter sido usado com o lugar livre da maior parte do movimento de chegada e saída de pessoas. Talvez, nas brumas do passado, a estação tivesse sido alvo militar de algum exército e de alguma causa há muito desaparecidos.

Essa idéia o deprimiu.

— É melhor continuarmos — disse, começando a voltar para a Via 10 e ao vagonete. O garoto, no entanto, ficou parado numa atitude de rebelião.

— Eu não vou.

O pistoleiro se virou, espantado.

O rosto do garoto estava contorcido e tremia.

— Você só vai conseguir o que quer quando eu morrer. Vou correr meus riscos sozinho.

O pistoleiro abanou a cabeça com um ar evasivo, odiando-se pelo que ia fazer.

— Tudo bem, Jake — disse suavemente. — Tenha longos dias e belas noites. — Deu meia-volta, atravessou as plataformas de pedra e pulou com ar determinado para o vagonete.

— Você fez um trato com alguém! — o garoto gritou atrás dele. — Sabe que fez!

Sem responder, o pistoleiro pôs cuidadosamente o arco na base da manivela que saía do piso do vagonete. Era ali que ficaria em segurança.

Os punhos do garoto estavam cerrados, as feições repuxadas pelo desespero.

Com que facilidade você engana esse menino, disse o pistoleiro para si mesmo. *Várias vezes a maravilhosa intuição do garoto — seu toque — conduziu-o a esse ponto, e várias vezes você conseguiu que ele o ultrapassasse. Mas como a manobra pode ser difícil — afinal, você é seu único amigo.*

Num súbito e simples pensamento (quase uma visão), ocorreu-lhe que talvez Jake tivesse razão e ele devesse parar com aquilo, dar meia-volta, pegar o garoto e transformá-lo no centro de uma nova força. A Torre realmente não precisava ser conquistada num humilhante modo chorão, certo? Por que não retomar a busca depois que o garoto tivesse alguns anos a mais, quando então os dois poderiam atirar o homem de negro para o lado como um barato brinquedo de corda?

Com toda a certeza, pensou cinicamente. *Com toda a certeza.*

Percebia com súbita frieza que voltar significaria a morte para os dois — a morte ou coisa pior: um sepultamento com os Vagos Mutantes atrás deles. Uma deterioração de todas as faculdades, talvez com os revólveres do pai vivendo muito mais que os dois e sendo conservados em infame esplendor, como tótens não diferentes da esquecida bomba de gasolina.

Mostre alguma firmeza, disse falsamente para si mesmo.

Estendeu a mão para a manivela e começou a bombear. O vagonete começou a afastar-se das plataformas de pedra.

— *Espere!* — o garoto gritou. E começou a correr na diagonal para um ponto na escuridão, onde o vagonete emergeria. O pistoleiro teve o impulso de acelerar, de deixar o garoto mais um pouco sozinho, pelo menos com alguma incerteza.

Em vez disso, segurou-o quando ele pulou. Jake o abraçou, o coração sob a camisa fina batendo com força e de modo irregular.

O fim estava muito próximo agora.

13

O barulho do rio havia se tornado muito alto, enchendo até os sonhos deles com seu trovão. O pistoleiro, antes como capricho que como qualquer outra coisa, deixou o garoto acionar a manivela enquanto atirava algumas péssimas flechas, amarradas por finos pedaços brancos de fio, na escuridão.

O arco também era muito ruim, incrivelmente preservado mas com uma terrível torção que impedia a pontaria, e o pistoleiro sabia que nada poderia melhorá-lo. Tentar regular a tensão do arco não ajudava a madeira cansada. As flechas não iam longe no escuro, mas a última que ele atirou voltou molhada e lustrosa. O pistoleiro abanou os ombros em dúvida, quando o garoto perguntou a que distância ficava a água, mas não achava que a flecha pudesse ter se afastado mais que 60 metros do arco defeituoso — e seria uma sorte chegar tão longe.

No entanto, o trovejar do rio havia ficado mais alto, mais perto.

Durante o terceiro período de vigília após a estação, uma luminosidade espectral começou de novo a surgir. Haviam penetrado num túnel comprido com alguma estranha rocha fosforescente, pois as paredes úmidas brilhavam e cintilavam com milhares de estrias. O garoto chamou-as *caudas de estrelas.* Viram essas coisas como uma espécie de assustadora surrealidade de trem fantasma.

O barulho feroz do rio era canalizado até eles pelas paredes de rocha e tinha seu volume natural amplificado. O som, no entanto, permanecia estranhamente constante enquanto avançavam para o cruzamento que o pistoleiro tinha certeza que existia à frente, pois as paredes estavam se afastando, recuando. O ângulo da subida ficava mais pronunciado.

Os trilhos corriam pela nova luminosidade. Para o pistoleiro, os feixes de *caudas de estrelas* lembravam os canudos de gás fedorento às vezes vendidos por uma pechincha na feira do Festival da Colheita; para o garoto lembravam intermináveis fileiras de tubos de neon. Mas, graças ao brilho que irradiavam, os dois puderam ver como a rocha que os rodeara durante tanto tempo terminava à frente, levando-os para duas plataformas, duas penínsulas denteadas que apontavam para um fosso de escuridão — um abismo sobre o rio.

Os trilhos logo começariam a se projetar sobre aquela desconhecida queda, suportados por um viaduto muito antigo. E ao longe, no que parecia uma distância incrível, havia um pequeno ponto de luz, não fosforescente ou fluorescente, mas a sólida, a verdadeira luz do dia. Era tão minúsculo quanto uma picada de agulha num pano escuro, mas tremendamente repleto de significado.

— Pare — disse o garoto. — Pare um minuto. Por favor.

Sem discutir, o pistoleiro deixou o vagonete diminuir a marcha e parar. O barulho do rio era um ronco, um estrondo contínuo, que vinha de baixo e da frente. O brilho artificial da rocha úmida se tornou repentinamente insuportável. Pela primeira vez o pistoleiro sentiu uma mão claustrofóbica encostar nele, e o ímpeto de sair, de escapar daquele sepultamento em vida foi poderoso e quase incontrolável.

— Vamos continuar — disse o garoto. — Não é o que ele quer? Que a gente empurre o vagonete sobre... *isso*... e caia lá embaixo?

O pistoleiro sabia que não era bem assim, mas disse:

— Não sei o que ele quer.

Desceram para a linha e se aproximaram com cuidado da beira da depressão. O leito de pedra sob seus pés continuou a se elevar até que, com uma queda súbita, vertical, o chão desapareceu debaixo dos trilhos e os trilhos continuaram sozinhos, através do escuro.

O pistoleiro caiu de joelhos e olhou para baixo. Pôde vagamente discernir uma complexa, quase inacreditável rede de vigas e longarinas de aço, sumindo na direção do ronco do rio, todas suportando o gracioso arco dos trilhos através do vazio.

Pôde mentalmente imaginar o trabalho do tempo e da água no aço, em mortal revezamento. Quanta resistência sobrava? Pouca? Praticamente nenhuma? Nenhuma? De repente, tornou a ver a face da múmia e o modo como a carne, aparentemente sólida, fora reduzida a pó ante o simples toque de seu dedo.

— Vamos passar agora — disse o pistoleiro.

Quase esperou que o garoto tornasse a reclamar, mas foi ele próprio quem iniciou a travessia, começando a cruzar calmamente, com passos seguros, os chumbados batentes dos trilhos. O pistoleiro seguiu-o sobre o abismo, pronto para ampará-lo se ele desse um passo em falso.

O pistoleiro sentiu uma densa camada de suor cobrindo sua pele. O viaduto estava deteriorado, bastante deteriorado. Com o impetuoso movimento do rio muito lá embaixo, o viaduto rangia sob seus pés, oscilando ligeiramente nos invisíveis cabos de sustentação. *Somos acrobatas,* pensou ele. *Olhe, Mãe, sem rede. Estou voando.*

Em certo ponto, ajoelhou-se e examinou os dormentes que atravessavam. Estavam marcados de buracos e torrões de ferrugem (podia sentir a razão no próprio rosto — ar fresco, o amigo do desgaste; agora deviam estar muito próximos da superfície). Um forte golpe do punho fez o metal vibrar sinistramente. Em certo momento, o pistoleiro ouviu um rangido de advertência sob os pés e sentiu o aço iniciando um processo de ceder, mas já conseguira passar.

O garoto, é claro, era quase uns 50 quilos mais leve e só não chegaria em segurança se o trajeto ficasse cada vez pior.

Atrás deles, o vagonete se fundira à escuridão geral. A plataforma de pedra à esquerda se estendia por uns 20 metros. Projetava-se mais que a da direita, mas também havia sido deixada para trás, e agora estavam sozinhos sobre o vazio.

A princípio pareceu que o diminuto raio de luz do dia continuava zombeteiramente constante (talvez mesmo se afastando deles no ritmo exato em que tentavam se aproximar — o que sem dúvida seria um belo truque de mágica), mas gradualmente o pistoleiro foi percebendo que o raio estava se alargando, ficando mais definido. Achavam-se ainda muito embaixo, mas os trilhos iam se elevando ao encontro dele.

O garoto teve uma exclamação de surpresa e de repente guinou para o lado, os braços executando vagarosas e amplas revoluções. Pareceu ficar oscilando um tempo considerável na beira do abismo antes de recuperar o equilíbrio e continuar.

— Essa quase acabou comigo — disse em voz baixa, sem emoção. — Há um buraco aqui. Pule se não quiser fazer um rápido vôo para o fundo. O mestre mandou: dê um passo de gigante.

Era um jogo que o pistoleiro conhecia como Mamãe Mandou, uma nítida lembrança das brincadeiras de infância com Cuthbert, Jamie e Alain. Mas ele não disse nada, só ultrapassou o buraco.

O dormente em que o garoto havia pisado cedera quase de todo e se inclinava preguiçosamente para baixo, balançando num rebite podre.

— Volte — disse Jake com ar sério. — Esqueceu de dizer: "posso ir?".

— Imploro seu perdão, mas acho que não vou voltar.

Para cima, ainda para cima. Era uma caminhada de pesadelo e por isso parecia muito mais comprida do que de fato era; o próprio ar pareceu se adensar, ficar como uma pasta, e o pistoleiro teve a sensação de estar antes nadando que caminhando. Repetidas vezes sua mente tentou se desviar da obsessiva, concentrada avaliação do terrível espaço entre o viaduto e o rio lá no fundo. Seu cérebro, no entanto, examinava a coisa nos mais ínfimos detalhes, com todos os seus componentes: o guincho do metal retorcido, cedendo, a guinada quando o corpo deslizava para o lado, os dedos procurando parapeitos inexistentes, o rápido bater dos saltos das botas no aço traiçoeiro, enferrujado — e lá embaixo, ameaçando repetidamente, o início do jato quente no meio das pernas quando a bexiga cedia, a investida do vento contra seu rosto encrespando o cabelo para cima numa caricatura de pavor, puxando as pálpebras para trás, a água escura avançando em sua direção, mais rápida, superando inclusive seu próprio grito...

O metal rangia debaixo dele, mas ele o ultrapassava sem afobação, dosando seu peso, não pensando em queda num momento tão crucial, não se preocupando em saber até onde já tinham avançado ou quanto ainda faltava. E também não pensando que o garoto pudesse ser sacrificável, e que a venda de sua honra estivesse agora, por fim, quase negociada. Mas que alívio seria quando o negócio estivesse concluído!

— Três dormentes faltando — o garoto disse friamente. — Vou pular. Aqui! Bem aqui! *Jerônimo!*

Por um momento, o pistoleiro viu a silhueta de Jake contra a luz do dia. Uma águia desajeitada e curva de braços estendidos, como se em último caso restasse a possibilidade de voar. Quando ele pousou, toda a construção balançou embriagada com seu peso. O metal protestou e alguma coisa bem lá embaixo se soltou, primeiro com um ruído de quebra, depois com uma pancada na água.

— Pulou? — perguntou o pistoleiro.

— Pulei — disse o garoto —, mas está muito podre. Como as idéias de certas pessoas, talvez. Acho que você não vai conseguir passar de onde está. Isto não agüenta. A mim sim, mas não a você. Volte. Volte agora e me deixe sozinho.

A voz era fria, mas por baixo havia uma histeria. Palpitava como havia palpitado o coração de Jake quando ele pulou para o vagonete e Roland o segurou.

O pistoleiro pisou sobre a falha. Um grande passo. Um passo de gigante. *Mamãe, posso ir? Sim-você-pode.* O garoto tremia sem poder fazer nada.

— Volte. Não quero que me mate.

— Pelo amor do Homem Jesus, *ande* — disse o pistoleiro asperamente. — Isto vai cair com certeza se ficarmos aqui confabulando.

O garoto continuou tropegamente, as mãos trêmulas estendidas diante dele, os dedos esticados.

Avançaram.

Sim, estava muito mais podre agora. Havia freqüentes falhas de um, dois, até mesmo três dormentes. O pistoleiro vivia a expectativa constante de encontrar o longo espaço vazio entre os trilhos que ia obrigá-los a voltar, ou a caminhar pelos próprios trilhos, equilibrando-se vertiginosamente sobre o precipício.

Ele mantinha os olhos fixos na luz.

O clarão havia adquirido uma coloração — azul — e à medida que se aproximavam, ficava mais suave, eclipsando a radiância das *caudas de estrelas*. Ainda faltava cobrir uns 50 ou 100 metros? Não sabia dizer.

Avançavam e agora o pistoleiro olhava para seus pés, passando de um dormente a outro. Quando tornou a erguer a cabeça, o clarão à frente se transformara num buraco, onde não havia apenas luz, mas uma saída. Estavam quase lá.

Trinta metros agora. Não mais que isso. Três mil pequenos centímetros. Podia ser feito. Talvez ainda alcançassem o homem de preto. Talvez, no brilho da luz do sol, as flores do mal murchassem e tudo seria possível.

A luz do sol foi bloqueada.

O pistoleiro ergueu os olhos, sobressaltado, espreitando como toupeira de seu buraco, e viu o vulto tapando a luz, devorando-a, só deixando passar frestas de um azul ridículo ao redor do contorno dos ombros e pelo meio das pernas.

— Olá, rapazes!

A voz do homem de preto ecoou amplificada naquela natural garganta de pedra, e o sarcasmo de seu bom humor assumiu poderosos semitons. Cegamente, o pistoleiro procurou o maxilar, mas ele se fora, ficara perdido em algum lugar, gasto.

O homem de preto riu acima deles e o som ribombou ao redor, ecoando como arrebentação de onda numa caverna da costa. O garoto gritou e oscilou, de novo girando os braços como um catavento no ar escasso.

O metal se rasgava e se desprendia embaixo deles, os trilhos se inclinavam em vagarosa e fantástica torção. O garoto mergulhou, e a mão do pistoleiro voou como gaivota no escuro puxando-o para cima, para cima. Mas ele ficou pendurado no abismo; ficou ali balançando, os olhos pretos se levantando para encarar o pistoleiro num reconhecimento final e atônito.

— Me ajude.

E ressoando, fazendo barulho:

— Os jogos acabaram. Venha já, pistoleiro. Ou nunca vai me pegar.

Todas as fichas na mesa. Todas as cartas expostas, com exceção de uma. O garoto balançando, uma carta viva de tarô, o Enforcado, o Marinheiro Fenício, um inocente perdido que mal conseguia se manter sobre as ondas de um mar infernal.

Espere aí, espere um pouco.

— Eu vou?

A voz dele é tão alta, fica difícil pensar.

— Me ajude. Me ajude, Roland.

O viaduto começara a se retorcer ainda mais, rangendo, soltando-se de si mesmo, cedendo...

— *Então vou deixar você.*

— *Não! NÃO vai!*

As pernas do pistoleiro o impeliram num repentino salto, rompendo a paralisia que o dominara. Foi um verdadeiro passo de gigante sobre o garoto pendurado, e ele aterrissou numa derrapada, ansiosamente concentrado na luz emitida pela imagem negra e quieta da Torre congelada em sua mente...

Para o repentino silêncio.

O vulto se foi, mesmo a batida do coração se foi quando o viaduto afundou mais um pouco, começando a lenta dança final para as profundezas, desintegrando-se. A mão do pistoleiro encontrou a ponta rochosa e iluminada da danação; e atrás dele, no terrível silêncio, a voz do garoto veio de muito longe.

— Vá então. Há outros mundos além deste.

Aí o viaduto se rompeu de vez, com todo o peso de suas ferragens; e ao se aprumar e seguir para a luz, para a brisa, para a realidade de um novo ka, o pistoleiro ainda virou a cabeça para trás, por um momento de agonia lutando para ser como Jano e conhecer o passado e o futuro — mas não havia nada, só um silêncio de chumbo, pois o garoto não gritara ao cair.

Então Roland estava de pé, pisando na escarpa rochosa que dava para uma planície verde, onde o homem de preto se achava de pernas abertas, os braços cruzados.

O pistoleiro parou cambaleante, pálido como um fantasma, os olhos enormes se agitando sob a testa, a camisa manchada com a poeira branca de sua violenta arremetida final. Ocorreu-lhe que enfrentaria novos aviltamentos do espírito, coisas que talvez fizessem tudo aquilo parecer infinitesimal. E no entanto ele ainda estaria fugindo de lá, descendo corredores e cruzando cidades, passando de uma cama a outra; fugiria da face do garoto e tentaria enterrá-la em bocetas e mortes, mesmo que entrasse num último quarto e o encontrasse olhando para ele sobre uma chama de vela. Havia se transformado no garoto; o garoto havia se transformado nele. Estava se transformando no próprio lobisomem que inventara. Nas profundezas dos sonhos, ia virar o garoto e falar a língua da estranha cidade do garoto.

Isto é a morte. Não é? Não é?

Desceu devagar e trôpego a encosta rochosa para o lugar onde o homem de preto estava à espera. Ali os trilhos desapareciam, sob o sol da razão, e era como se jamais tivessem existido.

O homem de preto tirou seu capuz com as costas de ambas as mãos, rindo.

— Então! — ele gritou. — Não um final, mas o final do começo, hã? Está progredindo, pistoleiro! Está progredindo! Ah, como eu admiro você!

O pistoleiro sacou os revólveres com fúria cega e atirou 12 vezes. Os disparos turvaram o próprio sol, e o barulho das detonações ricocheteou pela superfície de rocha nas escarpas atrás deles.

— Bom-bom — disse o homem de preto, rindo. — Ah, bom-bom-*bom*. Fazemos mágicas incríveis juntos, eu e você. Você não me mata mais do que mata a si mesmo.

Ele foi se retirando, andando de costas, encarando o pistoleiro, sorrindo e acenando.

— Venha. Venha. Venha. Mamãe, posso ir? Sim-você-pode.

O pistoleiro o seguiu com suas botas surradas até o local de confabulação.

CAPÍTULO 5

O Pistoleiro e o Homem de Preto

1

O homem de preto levou-o a um antigo campo de caça para confabular. O pistoleiro reconheceu de imediato o lugar: um gólgota, local-do-crânio. E crânios descorados os fitavam brandamente: bois, coiotes, cervos, coelhos, cotias. Aqui, a cauda de alabastro de uma fêmea de faisão que morrera pastando; ali, os diminutos, delicados ossos de uma toupeira, talvez morta por prazer por um cão selvagem.

O gólgota era um patamar cortado na encosta em declive da montanha, e mais abaixo, em altitudes mais saudáveis, o pistoleiro pôde ver iúcas e pinheiros anões. O céu tinha o azul mais suave que ele vira nos últimos 12 meses, e havia alguma coisa indefinível que sugeria um mar não muito longe dali.

Estou no Oeste, Cuthbert, pensou ele espantado. *Se isto não for o Mundo Médio, fica perto.*

O homem de preto estava sentado num antigo tronco de vernônia. As botas estavam esbranquiçadas da poeira e dos constrangedores restos de osso do lugar. Havia posto novamente o capuz, mas o pistoleiro podia ver com nitidez o formato quadrado do queixo e o contorno do maxilar. Na sombra, os lábios se crisparam num sorriso.

— Pegue lenha, pistoleiro. Este lado das montanhas é de clima suave, mas nesta altitude o frio ainda pode enfiar uma faca na barriga da pessoa. E este é um lugar de morte, não é?

— Vou matá-lo — disse o pistoleiro.

— Não, não vai. Não pode. Mas pode pegar um pouco de lenha para recordar o seu Isaac.

O pistoleiro não compreendeu a referência. Ficou mudo e foi apanhar lenha como um vulgar garoto de cozinha. A lenha era pouca. Não havia erva do diabo daquele lado e a vernônia não queimaria. Tinha se transformado em pedra. Acabou voltando com uma grande braçada de gravetos aproveitáveis, ainda que fragmentados e misturados com ossos decompostos, como se estivessem mergulhados em farinha. O sol havia caído atrás das iúcas mais altas e ganhara um brilho avermelhado. Espreitava-os com funesta indiferença.

— Excelente — disse o homem de preto. — Como você é incrível! Como é metódico! Como é habilidoso! Eu o saúdo! — Deu uma risada, e o pistoleiro jogou a lenha nos pés dele, um baque que fez subir uma nuvem de farelo de ossos.

O homem de preto não recuou nem pulou; simplesmente começou a preparar a fogueira. O pistoleiro observou, fascinado, o ideograma (fresco, desta vez) tomar forma. Quando terminou, ficou parecido com uma pequena e complexa chaminé dupla, com cerca de meio metro de altura. O homem de preto ergueu o braço para o céu, deixando recuar a manga volumosa da mão pontuda, elegante, e logo fazendo a mão descer com o indicador e o dedo mínimo projetados no tradicional símbolo do olho do mal. Houve uma centelha azul, e o fogo se acendeu.

— Tenho fósforos — disse jovialmente o homem de preto —, mas achei que você fosse gostar da mágica. Puro prazer, pistoleiro. Agora prepare nosso jantar.

As dobras da túnica estremeceram e a carcaça depenada e limpa de um rechonchudo coelho caiu no chão.

Sem dar uma palavra, o pistoleiro espetou o coelho num graveto e o assou. Um cheiro apetitoso foi transportado pelo ar quando o sol se pôs. Sombras arroxeadas deslizavam famintas na cancha que o homem de preto escolhera para o confronto final. O pistoleiro também sentira a fome começando a roncar vigorosamente na barriga enquanto o coelho dourava, mas quando a carne ficou pronta e os molhos ferveram, ele passou, sem dar uma palavra, o espeto inteiro para o homem de preto. Depois, revirando sua mochila quase vazia, encontrou um resto de carne seca. Estava muito salgada, doía na boca e tinha gosto de lágrimas.

— Um gesto inútil — disse o homem de preto, conseguindo parecer irritado e divertido ao mesmo tempo.

— Pode ser — disse o pistoleiro. Tinha pequenas feridas na boca, resultado da falta de vitaminas. O gosto do sal o fazia arreganhar os dentes amargamente.

— Acha que a carne pode estar enfeitiçada?

— É, é isso.

O homem de preto jogou o capuz para trás.

O pistoleiro olhou-o silenciosamente. Sob certo aspecto, o rosto que o capuz escondera era um desapontamento constrangedor. Parecia agradável e comum, sem nenhuma das marcas e dobras típicas dos que atravessaram tempos terríveis e participaram de grandes segredos. O cabelo era preto, caindo emaranhado e irregular. A testa alta, os olhos escuros e brilhantes. O nariz banal. Os lábios eram grossos, sensuais. A pele pálida, como a do próprio pistoleiro.

— Eu esperava um homem mais velho — disse finalmente o pistoleiro.

— Por quê? Sou praticamente imortal, como você também, Roland... ao menos por enquanto. Podia ter assumido um rosto com o qual você teria se sentido mais à vontade, mas preferi mostrar o rosto com o qual... hum... nasci. Veja, pistoleiro, o pôr do sol.

O sol já se fora e o céu poente estava coberto por uma soturna luminosidade de fornalha.

— Você não verá o sol nascer de novo pelo que pode ser um tempo muito longo — disse o homem de preto.

O pistoleiro se lembrou do abismo sob as montanhas e olhou para o céu, onde as constelações se espalhavam numa profusão de faixas luminosas.

— Isso não importa — ele disse em voz baixa — agora.

2

O homem de preto embaralhou as cartas com mãos muito rápidas. O baralho era imenso, os desenhos nas cartas cheios de adornos em curva.

— São cartas de tarô, pistoleiro... ou quase isso. Uma variante do baralho-padrão, ao qual acrescentei uma seleção de minha própria lavra. Agora observe com cuidado.

— Observar o quê?

— Vou revelar seu futuro. Sete cartas devem ser viradas, uma de cada vez, e postas em conjunção com as outras. Não faço isto desde os dias em que Gilead vivia e as senhoras jogavam gamão no gramado do oeste. E desconfio que *nunca* li um destino como o seu. — O tom de zombaria penetrava de novo na voz. — Você é o último aventureiro do mundo. O último cruzado. Como isso deve agradá-lo, Roland! Mas não faz idéia de como está perto da Torre agora, ao retomar sua jornada. Os mundos giram em volta de sua cabeça.

— O que está querendo dizer com retomar? Eu nunca parei.

Ouvindo isto, o homem de preto riu com vontade, mas não disse o que achava tão engraçado.

— Leia então minha sorte — disse Roland asperamente.

A primeira carta foi virada.

— O Enforcado — disse o homem de preto. A escuridão o cobria como um capuz. — Mas aqui, sem conjunção com nenhuma outra coisa, ele significa energia, não a morte. Você, pistoleiro, é o Enforcado, impelido sempre para um objetivo sobre os abismos de Na'ar. Já deixou cair um companheiro de viagem naquele fosso, não foi?

O pistoleiro não disse nada, e a segunda carta foi virada.

— O Marinheiro! Repare na nitidez da sobrancelha, as faces sem pêlos, os olhos magoados. Ele se afoga, pistoleiro, e ninguém entra na água para salvá-lo. O garoto Jake.

O pistoleiro estremeceu, mas não disse nada.

A terceira carta foi virada. Havia um babuíno sorridente montado no ombro de um rapaz. O rosto do rapaz estava virado para cima, com um esgar caricatural de espanto e de terror nas feições. Olhando mais de perto, o pistoleiro viu que o babuíno segurava um chicote.

— O Prisioneiro — disse o homem de preto. A fogueira atirava incômodas sombras oscilantes no rosto do homem subjugado, dando a ilusão de que ele se mexia, se contorcia num terror inexprimível. O pistoleiro afastou os olhos.

— Um pouco perturbador, não é? — disse o homem de preto, parecendo à beira de dar uma risada.

Virou a quarta carta. Uma mulher com um xale fazia girar uma travessa de cerâmica numa roda. Para o olhar atordoado do pistoleiro, ela parecia estar sorrindo maliciosamente e soluçando ao mesmo tempo.

— A Dama das Sombras — comentou o homem de preto. — Ela não parece ter duas caras, pistoleiro? Pois tem. Pelo menos duas caras. Ela já quebrou a travessa!

— E o que isso quer dizer?

— Não sei. — E, pelo menos neste caso, o pistoleiro achou que seu adversário estava dizendo a verdade.

— Por que está me mostrando essas coisas?

— Não faça perguntas! — disse o homem de preto num tom severo, mas logo sorrindo. — Não faça perguntas. Apenas observe. Considere isto apenas como um ritual sem sentido. Talvez assim você fique mais à vontade e mais tranqüilo. Como na igreja.

Ele abafou um riso e virou a quinta carta.

Um vulto sorridente segurava uma foice com dedos descarnados.

— Morte — o homem de preto se limitou a dizer. — Mas não para você.

A sexta carta.

O pistoleiro olhou-a e sentiu uma estranha, formigante antecipação no estômago. A sensação se misturava a horror e alegria, mas era impossível classificar a emoção em seu conjunto. Ela o deixava com vontade de vomitar e dançar ao mesmo tempo.

— A Torre — disse em voz baixa o homem de preto. — Eis a Torre.

A carta ocupava o centro da formação; cada uma das quatro cartas imediatamente anteriores ocupava um canto, como satélites circundando uma estrela.

— Para onde isso leva? — o pistoleiro perguntou.

O homem de preto pôs a Torre sobre o Enforcado, cobrindo-o completamente.

— O que isso significa? — o pistoleiro perguntou.

O homem de preto não respondeu.

— O que significa? — ele perguntou asperamente.

O homem de preto não respondeu.

— Maldito!

Nenhuma resposta.

— Vá para o inferno. Qual é a sétima carta?

O homem de preto virou a sétima. Um sol se erguia num céu luminosamente azul. Cupidos e duendes brincavam em volta dele. Sob o sol, a grande área vermelha sobre a qual ele brilhava. Seriam rosas ou sangue? O pistoleiro não saberia dizer. *Talvez*, ele pensou, *fossem as duas coisas.*

— A sétima carta é a Vida — disse suavemente o homem de preto. — Mas não para você.

— Onde ela entra na formação?

— Não é coisa para você saber agora — disse o homem de preto. — Nem para eu saber. Não sou o supremo que você procura, Roland. Sou apenas seu emissário. — Ele lançou a carta negligentemente no fogo quase apagado. A carta ficou chamuscada, encrespada e irrompeu numa chama. O pistoleiro sentiu o coração se encolher e ficar gelado no peito.

— Agora durma — disse num tom descuidado o homem de preto. — Quem sabe para sonhar ou algo assim.

— O que as balas não fizerem talvez minhas mãos façam — disse o pistoleiro. Suas pernas se moveram com precisão esplêndida, selvagem. Com os braços estendidos, ele voou sobre a fogueira na direção do outro. O homem de preto, sorrindo, inchou em seu campo de visão, mas logo foi recuando por um comprido corredor cheio de ecos. Tudo se encheu com o som do riso sardônico e o pistoleiro estava caindo, morrendo, dormindo.

Ele estava sonhando.

3

O universo estava vazio. Nada se movia. Nada existia.

O pistoleiro vagava, bestificado.

— Que haja uma pequena luz — disse a voz do homem de preto num tom displicente, e houve luz. Um tanto desligado, o pistoleiro considerou que a luz era muito boa.

— Agora a escuridão lá em cima, com estrelas nela. Água correndo aqui embaixo.

Assim foi. Ele vagava sobre mares sem fim. No alto, as estrelas piscavam sem parar, mas ele não via nenhuma das constelações que o tinham guiado durante sua longa vida.

— Terra — sugeriu o homem de preto, e houve terra; ela brotava das águas em contínuas, galvânicas convulsões. Era vermelha, árida, rachada, crestada de esterilidade. Vulcões expeliam magma sem parar, como espinhas gigantes num feio adolescente.

— Tudo bem — dizia o homem de preto. — É um começo. Que haja algumas plantas. Árvores. Relva e campos.

Houve. Dinossauros perambulavam aqui e ali, rosnando, gritando, comendo uns aos outros e unindo-se em turbas agitadas e fedorentas. Enormes florestas tropicais espalhavam-se por toda parte. Samambaias gigantes acenavam para o céu com suas folhas serrilhadas. Besouros de duas cabeças rastejavam sobre algumas delas. Tudo isso o pistoleiro viu. E contudo se sentia grande.

— Que venha agora o homem — disse o homem de preto, mas o pistoleiro estava caindo... caindo para cima. O horizonte daquela terra vasta e fecunda começou a se curvar. Sim, todos tinham dito que se curvava, seu professor Vannay alegava que isso havia sido provado muito tempo antes de o mundo ter passado. Mas aquilo...

Cada vez mais longe, cada vez mais alto. Continentes tomaram forma ante seus olhos maravilhados e foram obscurecidos com esteiras de nuvens. A atmosfera do mundo guardou tudo numa placenta. E o sol, erguendo-se além da curvatura da Terra...

Ele gritou e pôs um braço diante dos olhos.

— Que haja luz!

A voz não pertencia mais ao homem de preto. Era colossal, ecoava. Enchia o espaço e os espaços entre o espaço.

— *Luz!*

Caindo, caindo.

O sol se recolheu. Um planeta vermelho coberto de canais passou girando por ele, duas luas o circundavam freneticamente. Atrás disto, havia um rodopiante cinturão de pedras e um gigantesco planeta que fervilhava com gases, grande demais para suportar seu próprio peso, conseqüentemente muito achatado nos pólos. Mais além, havia um mundo cercado de anéis, brilhando como pedra preciosa dentro de um círculo de estrias glaciais.

— *Luz! Que haja...*

Outros mundos, um, dois, três. Muito além, uma solitária bola de gelo e rocha girava no escuro profundo em volta de um sol que não brilhava mais que uma moeda amarelada.

Além disso, havia mais escuridão.

— Não — disse o pistoleiro, mas a palavra ficou inerte e sem ecos. Ali estava mais escuro que a escuridão, mais preto que o negrume. Comparado com aquilo, a mais escura noite da alma de um homem era um meio-dia, e a escuridão sob as montanhas, um mero borrão na face da Luz. — Já chega. Por favor, agora já chega. Já chega...

— LUZ!

— Já chega. Já chega, por favor...

As próprias estrelas começaram a se contrair. Nebulosas inteiras se uniram e começaram a irradiar borrões. O universo inteiro parecia estar se congregando em torno dele.

— Por favor já chega já chega já chega...

A voz do homem de preto murmurava como seda em seu ouvido:

— Então renegue. Livre-se de todos os pensamentos sobre a Torre. Siga seu caminho, pistoleiro, e dê início à longa tarefa de salvar sua alma.

O pistoleiro retomou o controle. Abalado e sozinho, envolto na escuridão, com muito medo de se deparar com um último significado correndo para ele, recobrou a fibra e deu a resposta final sobre o assunto:

— NUNCA!

— **ENTÃO QUE HAJA LUZ!**

E *houve* luz, batendo nele como um martelo, uma grande luz primordial. Não havia como a consciência sobreviver naquele grande clarão, mas, antes que perecesse, o pistoleiro viu algo com clareza, algo que acreditou ter uma importância cósmica. Tentou agarrá-lo num esforço desesperado e depois se deixou afundar, procurando refúgio em si mesmo antes que a luz cegasse seus olhos e destruísse sua sanidade.

Fugiu da luz e do conhecimento que a luz envolvia, voltando-se para si mesmo. Assim fazemos todos nós; assim fazem os melhores dentre nós.

4

Ainda era noite — a mesma ou outra, ele não tinha um meio imediato de saber. Arrancou-se de onde seu salto de demônio atrás do homem de preto o levara e ergueu os olhos para a planta onde Walter das Sombras (como alguns ao longo do caminho de Roland o chamavam) estivera sentado. Ele se fora.

Uma grande sensação de desespero o inundou (Deus, tudo aquilo de novo), mas nesse momento o homem de preto disse por trás dele:

— Acorde, pistoleiro. Preferiria que não estivesse tão perto de mim. Você fala dormindo. — Ele deu uma risada.

O pistoleiro se ajoelhou um tanto grogue e olhou em volta. A fogueira se reduzira a cinzas e brasas vermelhas, deixando o familiar e precário contorno da lenha consumida. O homem de preto estava sentado ao seu lado. Estalava os lábios com um entusiasmo nada agradável pelos restos gordurosos do coelho.

— Você se saiu razoavelmente bem — disse. — Eu nunca poderia ter mandado aquela visão para seu pai. Ele teria voltado sem falar coisa com coisa.

— O que era aquilo? — o pistoleiro perguntou. Suas palavras estavam pastosas e trêmulas. Sentiu que, se tentasse se levantar, as pernas iam vergar.

— O universo — respondeu num tom negligente o homem de preto. Arrotou e atirou os ossos na fogueira, onde eles primeiro brilharam, depois escureceram. O vento sobre a copa do gólgota assobiava e gemia.

— Universo? — disse atônito o pistoleiro. Era uma palavra com a qual não estava familiarizado. Sua primeira conclusão foi que o outro estivesse fazendo poesia.

— Você quer a Torre — disse o homem de preto. Parecia uma pergunta.

— Sim.

— Bem, você não a terá — disse o homem de preto, sorrindo com óbvia crueldade. — Ninguém se importa, nas conferências do supremo, se você empenha sua alma ou parte logo para vendê-la, Roland. Faço idéia de como seu objetivo o empurrou para o abismo. A Torre o matará mesmo a meio mundo de distância.

— Você não sabe nada a meu respeito — disse o pistoleiro em voz baixa, e o sorriso sumiu dos lábios do outro.

— Eu fiz seu pai e eu o arruinei — disse severamente o homem de preto. — Me aproximei de sua mãe como Marten... essa é uma verdade de que você sempre desconfiou, não foi?... e conquistei-a. Ela se curvou aos meus desejos como um galho de salgueiro... embora (isso pode lhe servir de consolo) nunca tenha quebrado inteiramente. De qualquer modo, estava escrito e aconteceu. Sou o predileto daquele que agora governa a Torre Negra. A Terra foi entregue à mão rubra desse rei.

— Rubra? Por que está dizendo rubra?

— Não importa. Não vamos falar dele, embora você possa ficar sabendo mais do que pretende se fizer força. O que o feriu uma vez vai feri-lo duas. Isto não é o começo, mas o fim do começo. É bom se lembrar disso... mas você nunca lembra.

— Não estou entendendo.

— Não. Não está. Nunca entendeu. Nunca entenderá. Não tem imaginação. Você é cego.

— O que eu vi? — o pistoleiro perguntou. — O que eu vi no final? O que era aquilo?

— O que parecia ser?

O pistoleiro ficou calado, pensativo. Procurou tabaco no bolso, mas não havia nenhum. O homem de preto não se ofereceu para abastecê-lo por magia negra ou branca. Mais tarde, talvez o pistoleiro encontrasse alguma coisa na mochila, mas a disposição para procurar mais tarde pareceu então muito remota.

— Havia luz — o pistoleiro disse por fim. — Luz forte e clara. E depois... — Ele se interrompeu e encarou o homem de preto. Foi se inclinando para a frente e uma estranha emoção se estampou em seu rosto, uma estampa muito forte para ser dissimulada ou negada. Era temor ou espanto. Talvez fosse uma coisa só. — Você também não sabe o que era aquilo — disse, e começou a sorrir. — Ah, grande feiticeiro que dá vida aos mortos. Você não sabe. Você é uma piada!

— Eu sei — disse o homem de preto. — Mas não sei... o nome.

— Luz clara — o pistoleiro repetiu. — E depois... uma camada de relva. Uma única camada de relva que tomou conta de tudo. E era minúscula. Infinitesimal.

— Relva. — O homem de preto fechou os olhos. Seu rosto pareceu repuxado, desfigurado. — Uma camada de relva. Tem certeza?

— Tenho. — O pistoleiro fechou a cara. — Mas era roxa.

— Agora me escute, Roland, filho de Steven. Vai me ouvir?

— Vou.

E então o homem de preto começou a falar.

5

O universo (disse ele) é o Grande Todo e oferece um paradoxo grande demais para ser apreendido pela mente finita. Assim como o cérebro vivo não pode conceber um cérebro não-vivo — embora possa achar que pode —, a mente finita não pode apreender o infinito.

O fato prosaico da existência do universo já desacredita, por si mesmo, o pragmático e o romântico. Houve uma época, cem gerações antes de o mundo seguir adiante, em que a humanidade atingira perícia científica e técnica suficiente para tirar algumas lascas do grande pilar de pedra da realidade. Mesmo assim, a falsa luz da ciência (o conhecimento, se você preferir) só brilhou em alguns países desenvolvidos. Nesse respeito, uma companhia (ou conluio mafioso) abria o caminho: a North Central Positronics, como ela se autodenominava. Contudo, apesar de um tremendo incremento de novos conhecimentos, as novas percepções foram notavelmente reduzidas.

— Pistoleiro, nossos muitas vezes tetravós venceram a-doença-que-rói, que chamavam de câncer, quase venceram o envelhecimento, andaram na Lua...

— Não acredito — disse secamente o pistoleiro.

O homem de preto apenas sorriu e respondeu:

— Não precisa acreditar. Mas aconteceu. E foram feitos ou descobertos dezenas de engenhos incríveis. Mas a riqueza de informação produzia pouco ou nenhum discernimento. Não se escreveram grandes odes sobre as maravilhas da inseminação artificial... ter bebês a partir do esperma congelado... ou sobre os carros que andavam graças à força que tiravam do sol. Pouca gente, se é que alguém o fez, parece ter compreendido o mais autêntico princípio da realidade: novo conhecimento conduz sempre a mistérios ainda mais espantosos. Maior conhecimento fisiológico do cérebro torna a existência da alma menos possível, ainda que mais provável pela própria natureza da pesquisa. Está entendendo? Claro que não. Você atingiu os limites de sua capacidade de compreender. Mas não faz mal... não é isso que nos interessa.

— O que *é*, então, que nos interessa?

— O maior mistério que o universo propõe não é a vida, mas o tamanho. O tamanho contém a vida e a Torre contém o tamanho. A criança, que em geral está familiarizada com o espanto, diz: papai, o que existe em cima do céu? E o pai diz: a escuridão do espaço. A criança: o que existe depois do espaço? O pai: a galáxia. A criança: depois da galáxia? O pai: outra galáxia. A criança: depois das outras galáxias? O pai: ninguém sabe.

"Está entendendo? O tamanho nos derrota. Para o peixe, o lago onde ele vive é o universo. O que pensa o peixe quando é puxado pela boca por um gancho prateado, nos limites da existência, e penetra num novo universo onde o ar afoga e a luminosidade é uma loucura azulada? Onde enormes bípedes sem guelras o amontoam para morrer numa caixa sufocante, forrada de vegetação úmida?

"Ou se pode pegar a ponta de um lápis e ampliá-la. Vamos chegar a um ponto onde uma atordoante compreensão cai sobre nós: a ponta do lápis não é sólida; é composta de átomos que giram e rodopiam como um trilhão de diabólicos planetas. O que nos parece sólido é apenas uma rede de coisas soltas, mantidas juntas pela gravidade. Vistas na sua real dimensão, as distâncias entre esses átomos podem se tornar quilômetros, abismos, eternidades. Os próprios átomos são compostos de núcleos com prótons e elétrons girando em torno deles. Podemos descer ainda mais até as partículas subatômicas. E depois para o quê? Para os táquions? Para nada? Claro que não. Tudo no universo rejeita o nada; sugerir um término é o único absurdo que existe.

"Se você recuasse para o limite do universo, será que encontraria uma cerca de madeira e tabuletas dizendo SEM SAÍDA? Não. Talvez você encontrasse algo duro e arredondado, como o pintinho deve ver o ovo do seu interior. E se você atravessasse a casca beliscando (ou encontrasse uma porta), não poderia jorrar, nesses confins do espaço, uma incrível luz torrencial através da abertura? Você não poderia olhar por ali e descobrir que todo o nosso universo é apenas parte de um átomo numa camada de relva? Não poderia ser levado a pensar que, ao queimar um graveto, você está incinerando uma eternidade de eternidades? Que a existência não avança para um infinito mas para uma infinidade deles?

"Talvez você tenha visto o lugar que nosso universo ocupa no esquema das coisas — não mais que um átomo numa camada de relva. Será possível que tudo que percebemos, do vírus microscópico à distante nebulosa Cabeça de Cavalo, esteja contido numa camada de relva que pode ter existido por uma única estação num outro fluxo de tempo? E se a camada fosse cortada por uma foice? Quando ela começasse a morrer, a podridão não escorreria para nosso próprio universo e nossas próprias vidas, deixando tudo amarelado, escuro e ressecado? Talvez isso já tenha começado a acontecer. Dizemos que o mundo seguiu adiante; talvez estejamos realmente querendo dizer que ele começou a secar.

"Pense em como essa idéia das coisas nos torna pequenos, pistoleiro! Se um Deus vela sobre tudo, acha realmente que Ele vai se preocupar em distribuir justiça a uma raça de mosquitos entre uma infinidade de raças de mosquitos? Será que Seu olho vê o pardal cair quando o pardal é menos que um pontinho de hidrogênio flutuando solto nas profundezas do espaço? E se Ele realmente vê... qual deve ser a natureza de um tal Deus? Onde Ele vive? Como é possível viver além do infinito?

"Imagine a areia do deserto de Mohaine, que você cruzou para me encontrar, e imagine um trilhão de universos — não mundos, mas *universos* — encerrados em cada grão daquele deserto; e dentro de cada universo uma infinidade de outros. Nós nos elevamos sobre esses universos de uma suposta posição privilegiada na relva; com um movimento de sua bota, você pode chutar um bilhão de mundos, fazê-los voar para a escuridão, numa reação em cadeia que jamais terá fim.

"Tamanho, pistoleiro... *tamanho*...

"Mas continue a supor. Suponha que todos os mundos, todos os universos se reúnam num único nexo, um mesmo portal, uma Torre. E que dentro dela haja uma escada, levando, talvez, à própria Divindade. Você teria coragem de subir até lá, pistoleiro? Não é possível que em algum lugar sobre toda essa infinita realidade exista uma Sala?...

"Você não teria coragem."

E na mente do pistoleiro, aquelas palavras ecoaram: *você não teria coragem.*

6

— Alguém teve coragem — disse o pistoleiro.

— Quem pode ter sido?

— O próprio Deus — disse o pistoleiro em voz baixa. Seus olhos brilhavam. — Deus teve coragem... ou o rei de quem você falou... ou... A sala está vazia, vidente?

— Não sei. — O medo, sussurrante e escuro como asa de urubu, cruzou a expressão branda do homem de preto. — E além do mais, eu não faço essa pergunta. Pode não ser uma coisa inteligente.

— Tem medo de ser fulminado?

— Talvez medo de... um ajuste de contas.

O homem de preto ficou um instante em silêncio. A noite era muito longa. A Via Láctea se espraiava acima deles com grande esplendor, ainda que apavorante nos vazios entre seus pontos de luz. O pistoleiro se perguntou o que sentiria se aquele céu carregado se abrisse de repente e deixasse entrar uma torrente de luz.

— A fogueira — disse ele. — Estou com frio.

— Acenda você mesmo — disse o homem de preto. — É a noite de folga do mordomo.

7

O pistoleiro tirou um cochilo e quando acordou o homem de preto o fitava com uma insalubre avidez.

— O que está olhando? — Uma velha brincadeira de Cort lhe ocorreu. — Está vendo a bunda da sua irmã?

— Estou olhando para você, é claro.

— Bem, não olhe. — Ele atiçou o fogo, arruinando a precisão do ideograma. — Eu não gosto. — Virou-se para o leste. Queria saber se havia um indício de luz, mas a noite continuava decidida.

— Está procurando a luz cedo demais.

— Fui feito para a luz.

— Ah, sem dúvida foi! E como fui mal-educado esquecendo o fato! Contudo, ainda temos muito a discutir, eu e você. Pois assim me foi dito pelo meu rei e senhor.

— Quem é esse rei?

O homem de preto sorriu.

— Devemos então dizer a verdade, eu e você? Sem mais mentiras?

— Achei que já tínhamos começado.

Mas o homem de preto insistiu como se Roland não tivesse falado.

— Deve existir verdade entre nós, como dois homens? Não como amigos, mas como iguais? É uma proposta que você raramente ouve, Roland. Só iguais falam a verdade, é assim que penso. Amigos e amantes mentem sem parar, presos na teia do respeito. Como é cansativo!

— Bem, como não quero cansá-lo, vamos dizer a verdade. — Ainda não fora tão direto naquela noite. — Comece me dizendo o que exatamente você entende por feitiçaria.

— Ora, encantamento, pistoleiro! O encantamento do meu rei prolongou esta noite e vai prolongá-la até que nossa confabulação esteja concluída.

— Quanto tempo vai durar?

— Muito tempo. Não posso dizer mais que isso. Eu mesmo não sei. — O homem de preto estava parado diante do fogo e o clarão das brasas desenhava formas em seu rosto. — Pergunte. Vou dizer o que sei. Você me pegou, é justo. Não achei que fosse conseguir. Mas sua busca só começou. Pergunte. Isso logo nos levará a falar de coisas sérias.

— Quem é o seu rei?

— Nunca o vi, mas você terá de vê-lo. Antes de encontrá-lo, no entanto, terá de encontrar o Estranho Sem Idade. — O homem de preto sorriu sem rancor. — Terá de acabar com ele, pistoleiro. Mas acho que não era isso que você queria perguntar.

— Se nunca viu seu rei e senhor, como pode saber quem ele é?

— Ele vem em sonhos até mim. Veio como um garoto quando eu vivia, pobre e desconhecido, numa terra distante. Há um monte de séculos, ele me deu consciência de meu dever e me prometeu recompensar. Mas eu teria muitas missões a cumprir na juventude e nos dias da maturidade, antes da apoteose. Você é essa apoteose, pistoleiro. Você é meu clímax. — Ele deu uma risada. — Está vendo, alguém o levou a sério.

— E o tal Estranho, ele tem um nome?

— Ah, lhe puseram um nome.

— E qual é o nome dele?

— Legião — o homem de preto disse em voz baixa e, em algum lugar na escuridão oriental onde estavam as montanhas, um deslizamento de rocha pontuou suas palavras e um puma gritou como uma mulher. O pistoleiro estremeceu e o homem de preto ficou encolhido. — Mas acho que também não é isso que você queria perguntar. Não é de seu temperamento pensar tão à frente.

O pistoleiro conhecia a pergunta; ela o atormentara durante toda a noite e talvez já viesse atormentando há muitos anos. A pergunta tremia em seus lábios, mas ele não a fez... ainda não.

— O tal Estranho é um agente da Torre? Como você?

— Sim. Ele *obscurece*. Ele *dá o tom*. Está em todos os tempos. Mas existe alguém maior que ele.

— Quem?

— Não me pergunte mais nada! — gritou o homem de preto. Sua voz pretendia ser severa, mas desmoronou em desespero. — Não sei! Não quero saber. Falar das coisas do Fim do Mundo é falar da ruína de nossa própria alma.

— E além do Estranho Sem Idade fica a Torre e o que é guardado na Torre?

— Sim — sussurrou o homem de preto. — Mas nenhuma dessas coisas é o que você queria perguntar.

Verdade.

— Está bem — disse o pistoleiro e fez, então, a mais antiga pergunta do mundo: — Vou me sair bem? Vou triunfar?

— Se eu respondesse a essa pergunta, pistoleiro, você me mataria.

— Eu *deveria* matá-lo. Você precisa morrer. — Suas mãos tinham descido para as coronhas gastas dos revólveres.

— Essas coisas não abrem portas, pistoleiro; só as fecham para sempre.

— Onde tenho de ir?

— Comece pelo oeste. Vá até o mar. Onde o mundo termina é onde você tem de começar. Houve um homem que o aconselhou... o homem que, muito tempo atrás, você derrotou...

— Sim, Cort — interrompeu o pistoleiro impacientemente.

— O conselho foi esperar. Foi um mau conselho. Pois meus planos contra seu pai não paravam de serem postos em prática. Ele o mandou para longe e quando você voltou...

— Não tenho de ficar ouvindo você falar nessas coisas — disse o pistoleiro, escutando em sua mente a mãe cantar: *Bebê-cabeça, bebê amado, bebê me traga aqui sua cesta.*

— Mas escute isto: quando você voltou, Marten partira para oeste, para juntar-se aos rebeldes. Pelo menos foi o que todos disseram, e você acreditou. Mas ele e uma certa bruxa tinham lhe montado uma armadilha e você caiu direitinho. Bom garoto! E embora Marten já tivesse ido embora há muito tempo, havia um homem que às vezes o fazia lembrar-se dele, não é? Um homem que usava um traje de monge e tinha a cabeça raspada como um penitente...

— Walter — sussurrou o pistoleiro. E embora já tivesse levado suas conclusões até o fim, a crua verdade ainda o espantava: — *Você.* Marten nunca foi embora.

— A seu serviço. — O homem de preto deu uma risada.

— Eu deveria matá-lo agora.

— Não seria muito justo. Além do mais, tudo aconteceu há muito tempo. Agora chegou o momento de compartilhar.

— Você nunca foi embora — repetiu o pistoleiro, atônito. — Só mudou de figura.

— Sente-se — o homem de preto convidou. — Posso lhe contar histórias, tantas quantas quiser ouvir. Mas acho que você tem histórias muito mais compridas.

— Não falo de mim mesmo — murmurou o pistoleiro.

— Mas esta noite deve falar. Para que possamos compreender.

— Compreender o quê? Meu objetivo? Você o conhece. Encontrar a Torre é meu objetivo. Estou jurado.

— Não seu objetivo, pistoleiro. Sua mente. Sua mente burra, persistente, obstinada. Nunca houve mente como essa em toda a história do mundo. Talvez na história da criação.

— Esta é a hora de falar. A hora de contar histórias.

— Então fale.

O homem de preto sacudiu a volumosa manga da túnica. Um embrulho em papel de alumínio caiu e captou, nos muitos reflexos de sua superfície enrugada, as brasas que morriam.

— Tabaco, pistoleiro. Não quer fumar?

Ele fora capaz de resistir ao coelho, mas não pôde resistir àquilo. Abriu o pacote com dedos ávidos. No interior havia um ótimo tabaco desfiado e folhas verdes para embrulhá-lo, surpreendentemente úmidas. Há dez anos não via um tabaco daqueles.

Enrolou dois cigarros e mordeu a ponta de cada um deles para liberar o aroma. Ofereceu um ao homem de preto, que aceitou. Cada um tirou um graveto ardendo da fogueira.

O pistoleiro acendeu seu cigarro e tragou a fumaça aromática bem para dentro dos pulmões, fechando os olhos para concentrar os sentidos. Soprou-a com longa, lenta satisfação.

— Está bom? — o homem de preto indagou.

— Está. Muito bom.

— Aproveite. Para você esta pode ser a última fumaça durante muito tempo.

O pistoleiro ouviu aquilo com ar impassível.

— Muito bem — disse o homem de preto. — Vamos começar:

"Você deve compreender que a Torre sempre existiu, e sempre existiram rapazes que sabiam de sua existência e ansiavam por ela, mais que pelo poder, riquezas ou mulheres... rapazes que procuravam as portas que levavam a ela...

8

Houve conversa, conversa que valeu uma noite inteira e só Deus sabe se valeria mais (ou que parte dela era verdade), mas o pistoleiro lembrou-se de pouca coisa mais tarde... e, para sua mente singularmente utilitária, pouca coisa pareceu ter importância. O homem de preto tornou a dizer que ele tinha de ir para o mar, que ficava a não mais de 30 curtos quilômetros a oeste, e onde ele seria investido com o poder da *escolha.*

— Mas isso também não é exatamente correto — disse o homem de preto atirando o cigarro nos restos da fogueira. — Ninguém quer investi-lo com qualquer espécie de poder, pistoleiro; a coisa está simplesmente *em* você, e sou compelido a lhe dizer isso, em parte devido ao sacrifício do garoto e em parte porque é lei, a lei natural das coisas. A água tem de correr morro abaixo e você tem de ser informado. Você vai escolher três, eu acho... mas realmente não me importo e realmente não quero saber.

— Os três — o pistoleiro murmurou, pensando no Oráculo.

— E depois começa a diversão! Mas quando isso acontecer, eu já estarei bem longe. Adeus, pistoleiro. Minha parte agora está cumprida. O fio continua em suas mãos. Cuidado para ele não se enrolar em volta do seu pescoço.

Impelido por algo fora dele, Roland perguntou:

— Tem mais uma coisa para dizer, não tem?

— Sim — disse o homem de preto, sorrindo para o pistoleiro com seus olhos sem profundidade e estendendo uma das mãos para ele. — Que haja luz.

E houve luz, e desta vez a luz era boa.

9

Roland acordou junto às ruínas da fogueira e descobriu que estava dez anos mais velho. O cabelo preto tinha ficado ralo nas têmporas e para lá tinham ido as teias grisalhas da plena idade madura. As rugas estavam mais fundas no rosto, a pele mais áspera.

As cinzas da lenha que ele carregara tinham se convertido numa espécie de pedra e o homem de preto era um esqueleto sorridente numa túnica preta que apodrecia, mais ossos naquele lugar de ossos, mais um crânio naquele gólgota.

Será que é mesmo você?, pensou ele. *Tenho minhas dúvidas, Walter das Sombras... Tenho minhas dúvidas, Marten-o-que-não-é-mais.*

Levantou-se e olhou em volta. Então, com um gesto súbito e rápido, lançou-se para os restos do companheiro da noite anterior (se fossem de fato os restos de Walter), uma noite que, de alguma forma, havia durado dez anos. Quebrou o maxilar sorridente e enfiou-o descuidadamente no bolso traseiro esquerdo do *jeans* — um substituto bastante adequado para o que fora perdido sob as montanhas.

— Quantas mentiras você me contou? — perguntou ele. Muitas, tinha certeza, mas elas se tornavam boas mentiras pelo fato de terem sido misturadas com a verdade.

A Torre. Em algum lugar à frente, ela estava à sua espera — o nexo do Tempo, o nexo do Tamanho.

Começou de novo a seguir para oeste, de costas para o nascer do sol, no rumo do oceano, percebendo que uma grande fase de sua vida havia se completado.

— Eu amava você, Jake — disse ele em voz alta.

A rigidez abandonou seu corpo e ele começou a andar mais depressa. Pouco antes do anoitecer, chegara ao final da terra. Viu-se numa praia que se estendia sem fim para a esquerda e para a direita, deserta. As ondas avançavam sem parar sobre a costa, batendo e batendo. O sol se pondo tingia a água de uma grande faixa de ouro velho.

Ali o pistoleiro se sentou, com o rosto voltado para a luz poente. Sonhou seus sonhos e viu as estrelas aparecerem; não vacilava em seu objetivo, nem seu coração fraquejava; o cabelo, mais ralo agora e grisalho nas têmporas, voava ao redor de sua cabeça, e os revólveres de seu pai, incrustados com madeira de sândalo, pousavam letal e suavemente em seus quadris; ele estava sozinho, mas não achava de modo algum a solidão uma coisa ruim ou infame. A escuridão desceu e o mundo seguiu adiante. O pistoleiro esperava pelo tempo do *esquema* e sonhou seus sonhos longos com a Torre Negra, que um dia ia alcançar ao cair da noite e desafiar, soprando sua trompa, para alguma inimaginável batalha final.

Impressão e Acabamento:
Geográfica editora